S0-AAJ-908

《我们深圳》
首部全面记录
深圳人文的非虚构图文丛书

我们深圳

FINDING SAMUEL LOWE

寻找罗定朝

从哈莱姆、牙买加到中国

［美］ 葆拉 威廉姆斯·麦迪逊 / 著

◎ 马 静 岳鸿雁 / 译

深圳报业集团出版社

2016年8月我回到外祖父罗定朝的
老家鹤湖新居 （高雷 摄）

先父羅定朝遗像

生于一八八九年农历九月廿五日

殁于一九六九年农历四月初五日

献给我的外祖父

罗定朝

——塞缪尔·罗

献给我的母亲

内尔·薇拉·罗·威廉姆斯

我童年在美国纽约哈莱姆的全家合影

少年时在纽约哈莱姆，第一次参加圣餐仪式，是和父亲一起参加的，仪式在圣罗丝利马天主教教会学校举行

我的牙买加亲人在外祖父当年故居前合影

探访外祖父当年在圣·安斯贝经营的商店

外祖父当年在摩可小镇的商店

鹤湖新居牌坊

《我们深圳》

《我们深圳》？

是的。我们，而且深圳。

所谓"我们"，就是深圳人：长居深圳的人，暂居深圳的人，曾经在深圳生活的人，准备来深圳闯荡的人；是所有关注、关心、关爱深圳的人。

所谓"深圳"，就是我们脚下、眼前、心中的城市：是深圳市，也是深圳经济特区；是撤关以前的关内外，也是撤关以后的大特区；是1980年以来的改革热土，也是特区成立之前的南国边陲；是现实的深圳，也是过去的深圳、未来的深圳。

《我们深圳》丛书，因"我们"而起，为"深圳"而生。

这是一套"故园家底"丛书，它会告诉我们：深圳从哪里来，到哪里去，路边有何独特风景，地下有何文化遗存。我们曾经唱过什么歌，跳过什么舞，点过什么灯，吃过什么饭，住过什么房，做过什么梦……

这是一套"城市英雄"丛书，它将一一呈现：

在深圳，为深圳，谁曾经披荆斩棘，谁曾经独立潮头，谁曾经大刀阔斧，谁曾经侠胆柔情，谁曾经出生入死，谁曾经隐姓埋名……

这是一套"蓝天绿地"丛书，它将带领我们遨游深圳天空，观测南来北往的鸟，领略聚散不定的云，呼叫千姿百态的花与树，触碰神出鬼没的兽与虫。当然，还要去海底寻珊瑚，去古村采异草，去离岛逗灵猴，去深巷听传奇……

这是一套"都市精灵"丛书，它会把美好引来，把未来引来。科技的、设计的、建筑的、文化的、创意的、艺术的……这座城市，已经并且正在创造如此之多的奇迹与快乐，我们将召唤它们，吟诵它们，编织它们，期待它们次第登场，——重现。

这套书，是都市的，是时代的。

是注重图文的，是讲究品质的。

是故事的，是好读的，是可爱的，是美妙的。

是用来激活记忆的，来拿来珍藏岁月的。

《我们深圳》，是你的！

胡洪侠

2016 年 9 月 4 日

中文版序言

黑人、华人、牙买加裔美国人。在哈莱姆出生、长大。

2012 年，我开始制作一部纪录片，一部有关寻找我的客家华人外祖父，有关寻找我的华裔牙买加母亲，有关寻找作为黑人、华人和牙买加人混血儿的我的纪录片。这部纪录片讲述了一个故事，一个有关失去、遗弃、发现和联结——一个跨越了国界、种族和肤色的故事。这部纪录片制作完成后，我意识到关于我的外祖父，关于我的母亲，甚至关于我，还有更多的故事要讲。

19 世纪中叶开始，成千上万名中国劳工从广东出发，和他们一样，我的外祖父从香港搭乘轮船前往牙买加。1905 年，他开始在南美的甘蔗种植园里"砍甘蔗"——19 世纪 30 年代英国人废除了奴隶制，解放了异国土地上的非洲人，自此华人开始从事这种异常辛苦的工作。

很多华人告别国内家乡的妻儿。移民法让许多家庭分隔两地——有些家庭永远无法团聚，其中很多劳工与牙买加女性组成家庭。很多人在牙买加当地成为店主、纳税人，并且孕育了混血儿。

直到今天，很多混血儿及其子孙从没踏足过中国——他们先人的故乡。很多人不知道如何找到他们在中国的家族成员和先祖居住的村落。我知道。我找到了。在这本回忆录里，我讲述了自己寻找中国亲人的故事。

2012 年，我找到了我的 300 位客家亲人，这 300 人是我外祖父的直系亲属。在那之前，我从不认识我的外祖父，我从没有见过他的照片，从没有听说过他的生平。

他的生平包括了他的大女儿，也就是我的母亲，内尔·薇拉·罗。母亲年仅三岁，就被迫和她的父亲痛苦地分开了，从小在牙买加的乡下长大，缺少关爱。她成为一个如母狮子般的母亲，而不是一个虎妈。我想可以这样形容我的母亲——内尔·薇拉·罗·威廉姆斯——她强悍而悲伤。之所以强悍，是因为她是一个华裔牙买加非裔女性，独自在20世纪50年代的哈莱姆抚养三个孩子。之所以悲伤，是因为她与牙买加从来都是格格不入的；因为她与哈莱姆从来都是格格不入的；因为她从没有到过中国——先人的故乡。

我的母亲从来都是格格不入的。她看起来姿态优雅，直发长至腰间，中国面孔，傲立于世，讲英语时带着浓重的牙买加口音。

20世纪40年代初期，父母之间的爱情，吵吵闹闹，时冷时热，始于牙买加，到美国再续前缘。1945年，我的非裔牙买加父亲偷渡进入美国，追寻把他留在牙买加的母亲，试图说服她嫁给他。母亲从他身边逃离，从牙买加前往美国，寻找她的美国梦和"金山"。母亲是合法入境，因为她的父亲是华人，《排华法案》（《排华法案》是美国于1882年5月6日签署的一项法案。条例的修订允许美国暂停入境移民，国会很快就执行了这一决定。该法案是针对大量华人因中国的内部动荡和有机会得到铁路建设工作而迁入美国西部所作出的反应。它是在美国通过的第一部针对特定族群的移民法。美国国会 1943 年 12 月 17 日通过了《麦诺森法案》，或称《排华法案》废除案，从而废除所有排华法案——译者注）废除后，她获得了签证。中国与美国在二次世界大战结盟，让华人有了更好的移民选择。

我三岁的时候，父亲被驱逐出境，父母的婚姻解体了。两年后，在母亲成为美国公民后，父亲得以合法入境。母亲的公民权利可以惠及父亲，因此父亲得以与我们团聚。但是，他们彼此间既有距离，又有敌意，实在难以勉强。于是，母亲成了一位单亲妈妈，而我们只有在周末的时候才去父亲家里。

和我一样，母亲也是在三岁时被迫和父亲分开，住在牙买加。和我不同的是，她再也没见过自己的父亲。

"你不懂，没有父爱，这样长大，会是什么样子。"我记得母亲总是这么跟我说，这是段悲伤的副歌。

成长过程中，母亲为什么没有和她的父亲一起？为什么没有和她的母亲一起？为什么我们不像其他哈莱姆的孩子一样有亲戚？我的外祖父是哪里人？为什么我们是黑人和华人？为什么外祖父会离开？我怎么才能让母亲不那么悲伤？

这些问题，我不仅仅在孩提时代追问，一生都在追问。我选择了黑人历史学作为我的专业，后来成为一名调查记者，又成为一个富有的投

寻找罗定朝

从哈莱姆、牙买加到中国

资者和企业家。我的事业和我的经济规划都只指向一个目标：找到母亲在中国的家人，找到塞缪尔·罗的后人，或者说找到罗定朝的后人，我在2012年得知他的汉语名字。这本书正是讲述了这样一个故事，内尔·薇拉·罗·威廉姆斯的19名黑人后裔是如何与她父亲塞缪尔·罗的300位中国后裔在中国相聚团圆的。

这本书也是为了让中国人了解他们和海外华裔之间的纽带联系是多么密切。这样的家庭联结超越了国界、种族和时间。对于我们这些没有出生在中国的客家后裔来说，我们知道自己与中国的渊源。欢迎我们吧，我们回到了中国的家。

葆拉·威廉姆斯·麦迪逊

2016.8

英文版序言

　　他看了我几眼,那神情很典型,属于我的罗斯福,如假包换。"亲爱的,"他问道, "你知道自己是黑人吧?"

　　我看着他, 满怀疑惑, 却不服输。 "对。我知道自己是黑人。"

　　他显得有些犹豫,仿佛害怕再多说些什么,仿佛害怕说出下一个观点。对于未知,他表示担心,担心我真的会找到我的中国亲人,找到塞缪尔·罗——找到他尚在世的家人。如果,我真的成功寻到中国亲人的下落,中国亲人作何反应,未为可知:面对我的存在,中国亲人将有何种反应。有那么一种可能性,实际上,十有八九,我的中国亲人并非跟我一样热衷于寻找失散多年的亲人——失散多年的非裔美国亲人。也许,他们看到一个非裔美国女人,不肯认我。 这之前,我从未有过这样的想法。水蒸气模糊了我的眼镜,我——皮肤姜黄色,梳着非洲圆蓬式发型——坐在浴缸里,寻思着,第一,他为什么跟我说这些话;第二,我自己怎么从没想到呢,这真是令人震惊。

　　我停了一下, 慢慢地吸了一口气。 "我想, 我是他们的家人, 他们是我的家人,那么,我们都是一家人。这就是我所有想法。"

　　他微微点头,眼睛里有一种柔情。就在那个时刻,我意识到,他之所以那样问,是出于他对我的爱,是因为他想保护我,也跟他的经历有关,他在那样一个种族主义横行、种族分裂主义盛行的美国社会长大。我意识到,他在帮我进行心理建设,我有可能会失望,有可能遭受打击,

寻找罗文朝
从哈莱姆、牙买加到中国

他在帮我减轻痛苦；他让我那寻亲的热情降低几度。

　　他似乎懂得，一些问题在我心头萦绕，时间会提供答案。他对我说：你对这事满怀激情，你的确想这么做。但是，最后结果未必如你所愿，未必与你梦中的情景一模一样。我知道，他这是想帮我，为我着想，是在履行一个丈夫的责任。几十年来，我一直信任他。

关于外祖父的梦

　　我们在这样一种氛围里长大，有些事显然不对劲。我们生活在彻头彻尾的矛盾之中：世界上最重要的，就是家庭。我的母亲会这么坚持；但是，我们却没几个家人。我一直纳闷：如果家庭最重要，为什么我们没有更多家人？

　　当我还是个小女孩的时候，我对外祖父知之甚少，却会在心里跟外祖父说话。我会问他："你在哪儿？你为什么要离开？"

　　我对自己许下诺言，一定要找到他。

　　我一直梦到外祖父，梦到我的母亲，梦到倘若他们知道彼此的消息，他们的生活又会怎样——还会梦到，母亲三岁那年，要是外祖父没有从此杳无音信，我的生活又会怎样。

　　或者说，母亲才是那个从他生命中消失的人？

　　我练习着出声说"外祖父"这个词。现在，我就在这里，年届六十，玩味着从未用过的一个词，除非我用这个词来指代别人。外孙伊德里斯和他的外祖父——我的丈夫罗斯福——嬉闹的时候，这个词说起来显得那么简单、从容、准确。我喜欢看着他们祖孙俩一起玩耍，他们以最美好的方式，认为彼此的存在是那么理所当然，这一点让我着实震撼。当然，伊德里斯有外祖父，当然，罗斯福也有外祖父，那是生命中的一个事实。

　　但是，那并非我生命中的一个事实。当我出声说这个词的时候，似

哥哥艾瑞克、霍华德和我小时候

乎那个我一直梦到的人真的会回应，这个词显得那么别扭，那么陌生。我觉得自己似乎在讲另一种语言，似乎穿着别人的衣服，似乎管别人的外祖父叫外祖父。

　　一股强烈的感情暗流让我想到了母亲的模样，让我想到她从未认识的家人，让我想到她建立的家庭。在哈莱姆区，我们只有彼此，相依为命。我们四个人：我的母亲内尔·薇拉·罗·威廉姆斯、艾瑞克、霍华德和我。当我想到家人的时候，我通常不会算上我的父亲；但是，有时候，我也会算上他。

成长过程中，我们有乔治表亲、罗丝小姨和休舅舅，他们是我们的亲戚。就是这样，很多很多年里，没有别人了。我们的确听说牙买加那边的一些人——同父异母或者同母异父的兄弟姐妹、父亲那些同父异母的兄弟姐妹、母亲的同父异母的姐妹——但是，这些人都是远亲，显得不像真的亲人。

拜访朋友的外祖母所住的公寓，就在附近街区，那个地方散发着外祖母的房子应该有的香味：各种馅饼醇厚的香味、鸡肉饭的香味，也许还有外祖母用的香皂的甜香。但是，我的外祖母住的房子是什么味道？粉芭蕉的味道、咖喱羊肉的味道、红甜椒的味道，还是姜的味道？

外祖父住的房子闻上去又是什么味道？盐焗鸡的味道？腌制芥菜叶的味道？酿豆腐的味道？酱油的味道？

什么房子？

什么外祖父？

我的母亲长得像华人，哥哥们和我长得像非裔美国人。我们离群索居，与他人迥异。当你和别人不一样的时候，当你家里人不多的时候，你会觉得与整个世界步调不一致。我们走在哈莱姆区的大街上——阿姆斯特丹大道或者第164街——母亲身材高挑，姿态优雅，异族长相，格外引人注目。我们三个就站在旁边，瞪着那些男人，只因为那些人用"那种眼神"看着母亲。我们知道，我们跟邻居不像，跟圣罗丝利马天主教学

寻找罗定朝
从哈莱姆、牙买加到中国

校班上的孩子不像，跟暑热难耐时坐在台阶上乘凉的人们不像。知道这一点，我们充满力量，享受孤独，有一种特殊的自豪感。但是，这并没有让我们满足，我们渴望更多。

目录
CONTENTS

……你看，爱让人自由，爱并不捆绑，爱说我爱你。我爱你，如果你在中国；我爱你，如果你在镇对面；我爱你，如果你在哈莱姆；我爱你……。我想要接近你，我想要你的双臂围绕着我，我想要你的声音响在耳畔，却不可能……

——玛雅·安哲罗《爱让人自由》

第一章

母女

2008 年，北京

2008 年北京奥运会举行的时候，我在 NBC 环球任执行副总裁。我和其他执行主管一行来到奥运赛场。把赛事报道出去，我们并不需要每天事必躬亲，但是，从美国来到中国，我们肩负着一项非正式外交使命。

8 月的早晨，我们乘坐的飞机在北京上空盘旋，正准备降落。我从舷窗向外望去，看到下面中国广袤的大地，这个国家似乎没有地平线，四处望去，广阔无垠。对我来说，这既是一个事实，也是一个比喻。"在这片亚洲大陆的某个地方，在中国这个幅员辽阔的国家里，"我体验着她带给我的物理维度和情感维度的震撼，我这样想着，"在这里我有家人。"

鉴于我的外貌和经历，去非洲的时候，我本该有这样的感受。毕竟，对于世人来说，我是非裔美国人。我到过非洲六七次，实际上，我的寻亲之旅就是从那里开始的，也就是南非。1998 年，我乘飞机在约翰内斯堡降落，走下飞机的那一刻，我膝盖都软了。跟许多非裔美国人一样，我有一种终于到家了的感觉。这片大陆既有历史，又有神话，既有自由，又有专制，既有纯洁，又有污染，这一切让我百感交集：既有伤感，又有喜悦，既有平静，又有焦虑，既有血脉相连，又有情感疏离。我看着一张张非洲面孔，想在他们脸上看到我自己的样子。

但是，我没有看到。

能去那里，我真的很高兴，然而，我并不觉得找到了自己在这个世界的位置。几年之后，我去了加纳，感觉完全不同。事后才知道，许多

寻找罗定朝　从哈莱姆、开罗加到中国

牙买加移民其实是今天加纳的阿散蒂人（加纳的民族之一，阿肯人的分支。讲阿散蒂语。信多神教，部分信基督教新教，主要从事农业——译者注）在加纳时，人们的面孔看起来是那么熟悉。的确，这些人外貌和我相像，牙买加人也和我外貌相像，哈莱姆区的人也和我外貌相像。外貌相似，这并未让我感觉到与祖先血脉相连，我仅仅与跟我外貌相像的人有血缘关系而已。而我相信，当我到了中国，北京大街上那一张张面孔应该与我毫无关联。

一天，奥运会开幕式结束之后，我朝着北京的闹市区走去。我们当时住在位于北京市中心的瑞吉酒店。我想着，可以路过各大使馆和那里的办公楼，或许还可以去看看几个街区以外的秀水街。就算对一个住在纽约的人来说，北京大街上的人群也相当壮观。我一边走着，一边感受着这个城市的能量和紧张节奏。我细细观察着行人、汽车、自行车、商店门脸，此时，记者的本能一下子开启了。

接着，我看到一张面孔，那张面孔让我停下脚步，浑身冰冷。我回过头来，看到有个女人，从我身边大步走过，消失在人群里。她身材高挑，体态优雅，走起路来，有一种坚毅，有一种遗世独立的感觉，这感觉我太熟悉了。她以那样的方式走路，就是要人们想着她——不管是在北京的大街上，还是在哈莱姆区的阿姆斯特丹大道——可是，没有人敢动这样的心思。就是她的面孔，一瞬间攫住了我。就在北京的大街上，就在那人群中，我仿佛看到了母亲的面孔。

母亲去世，已有两年，父亲亦如此。威廉姆斯一家人口本来就不多，经过缔结婚约和儿孙诞生，变得人丁兴旺起来，但是这家人依然显得不完整。但是，就在那一刻，就在北京的大街上，我看到母亲的面孔，我突然意识到，母亲已然故去，冥冥之中，却要指引我，虽然她在世时并没有这么做。也许，就在这里，就在中国，我能解开命运之谜，那命运

年轻时候的内尔有着典型的华人样貌

之谜镌刻在我们的基因里，就在母亲一生的孤寂里，就在种种矛盾和种种成就里，而正是这些矛盾和成就让我们成为我们。

寻找罗定朝

从哈莱姆、牙买加到中国

婚姻之外的孩子

这要从我的外貌开始说起：棕色皮肤，绝对不会认错的"黑人"鼻子，卷曲的头发。我曾经好不容易把那卷曲的头发弄得听话，多年来，它恣意生长，现在终成一头凌乱的卷发。

阿姆斯特丹大道，第163街和第164街之间，这个街区里长大的孩子，少有上大学的，倒是有不少进监狱的。我和哥哥们生于斯，长于斯。我们长大成人，离开这里。多年后，这个街区——窗户上封着木板，店铺早已经荒废，眼神呆滞的人们四处游荡——与众不同，却是因为这里是整个纽约市犯罪率最高的地方。

但是，我们一直知道，我们和别的孩子不一样，我们和别人有所区别。

我们认识的孩子，大多数家里人丁兴旺，堂兄堂妹、姑姑婶婶、叔叔舅舅一大堆。特别幸运的孩子，家里祖父祖母、外祖父外祖母健在，甚至可能有两位老人健在。这些家庭会大摆宴席，享用火腿、花菜、猪手，这些美食从未上过我们家的餐桌。我们每顿饭都吃米饭——那种淀粉糊糊，我这辈子大多数时候都恨得不得了，现在也只能吃一点点而已——还会吃那些别人碰都不会碰的蔬菜，比如白菜。我们成长于20世纪五六十年代，那时候，大多数家庭人口齐全，有父亲，有母亲，一家人住在公寓里。只有我们四个人住在阿姆斯特丹大道一层的公寓里——哥哥艾瑞克和霍华德、母亲和我。父亲老艾瑞克住在皇后区春田花园，有时候与我们联系，有时候疏远我们。我们威廉姆斯一家人口不多，我

少年艾瑞克   少年霍华德

记忆中，总是觉得我们实在人数不多。

一到夏天，别的孩子，和家人大多会跳上公车，去乔治亚州或者北卡罗来纳州避暑。那里会有大型家庭聚会，他们会见到更多堂兄堂妹、姑姑婶婶、叔叔舅舅。也许，家里的老人，祖父或者外祖父，端坐在餐桌的首座。

"我们什么时候去南方？"夏天，我们坐在公寓楼的门廊，我会这样问母亲。我当时五岁，百无聊赖，哈莱姆区里所有的玩伴都跑到这个叫作"南方"的美妙地方去了。

"我们并不来自南方。"母亲会这样回答。

"妈，所有人都来自南方。"我会这么执拗地认为。

"我们不是。"母亲会这么说。

艾瑞克是家里的第一个孩子，出生于1947年。后来，霍华德出生，夏天诞生，出生于1950年。我则出生于两年之后的1952年8月。第163街和第164街之间那段阿姆斯特丹大道，我和哥哥们生于斯，长于斯

"那我们来自哪儿？"我会这么问，已然对这场对话失去了兴趣。

"我们来自牙买加，"母亲会这么说，"我们来自一个岛。"

"嗯，我们什么时候去那儿？"

"我们不去那儿。"

对话就此打住。牙买加只卖单程票么？没有返程票？或者，母亲的意思是没有可用的交通工具？我尝试着另外一种问法。

"妈妈，你是怎么来这儿的？"

"我坐飞机来的。"

"那我们为什么不能……"

"因为我们没有钱。"母亲会这么说。就此打住。

虽说钱很重要——显然，没有钱，也做不成什么事——母亲懒得明说，就算在牙买加，我们也没有什么家人可以团聚。

我从小就知道，祖父和外祖父都去世了，祖母和外祖母——虽然我知道两位老人依旧健在——母亲对她们没有什么感情。问母亲关于她家人的事，肯定会如同撞南墙：就跟关于南方的对话一样，也问不出个所以然。但是，这种对话充满着一种失落感，我可以感觉到，却难以名状，肯定永远无法说出口，更别说刨根问底了。她的母亲在牙买加，这一点，我们知道。但是，她的父亲在哪儿？

"他回中国去了，然后呢，死了。"母亲会这么说。

我的人生——勤奋工作的人生——有一种失落感，让我痛苦，却挥之不去。我渴望清晰明朗，我渴望某种完整，这一切，母亲从未给过我。我母亲敏感易怒，对子女要求很高。她面容姣好，皮肤白皙，有一半中国血统。母亲走过自己的一生，虽与丈夫和孩子度过许多岁月，但她自己却是一个缺乏耐心的女人，总是心情低落，总是被失落感环绕，怎么会这样？

寻找罗定朝

从哈莱姆、牙买加到中国

1974年内尔在家中。她是一位犹如狮子一样的母亲，悲伤而又强悍，保护着我们

我曾经在纽约州北部的《雪城先驱日报》担任记者。一天，我和女儿伊玛尼在家里坐着。当时，女儿三岁，温柔地抚摸着我的头发，那头发刚梳洗过，很柔顺。"妈妈，什么时候我的头发能跟你的一样呢？"女儿轻声问，若有所思。女儿一头卷发，熠熠闪光。女儿这么一问，我吃了一惊。"你的头发像我的头发啊。"我说。

我从不记得自己曾经对母亲说过这样的话，虽然我和母亲的头发不一样，这经历对我来说，具有定义作用；纵然我和母亲相依为命，但头发不一样，这一点，让我们彼此疏离。我的母亲不太像她那深色皮肤的牙买加母亲，却总是更像她那中国父亲。母亲特别高，身材十分修长，姿态优雅。她平常梳起法式发髻，用发卡紧紧固定着，一旦取下发卡，满头乌发会垂到腰际。我的头发把母亲难住了，母亲没有办法对付我那卷曲的头发，也没有办法对付那粗糙的质地。弄头发的事情，母亲外包给楼上邻居，那是位温柔的女士，来自南方——准确地说，北卡罗来纳州。

为此，我一直对母亲心存怨恨。我看到过这样的情景，在我们街区里，别人家的小女孩或者坐在地板上，或者坐在木头凳子上，或者坐在厚厚的曼哈顿电话簿上，倚在自己母亲的腿边，她们的母亲则在一边细心地梳理着小女孩的卷发。母亲对我的头发一点儿办法都没有，这似乎成了母亲拒绝与我相处的一种象征。我感觉到，我和母亲之间的隔阂变大了。母亲并不"懂"我的头发，不和我分享那样的时刻，这成了我生命的一个事实。但是，这也充满了象征意味；这代表着，母亲过去不会，也不能欣赏我这个人。我大概四五岁的时候，头发长了，母亲可以像其他妈妈那样帮我梳头、编小辫、造型，但是早年她不帮我梳头的那些记忆，却挥之不去。

我与女儿伊玛尼之间的关系——女儿与我的关系——满是轻松和柔情，这是我与母亲之间所没有的。要是我和伊玛尼之间出现裂缝，我一

内尔和外孙女伊玛尼。几年以后，
她也把头发剪短，卷发贴着母亲那
张牙买加和华人混血的脸

内尔和伊玛尼。母亲和孙女们在一
起的时候，比和我们在一起的时
候，要温暖和甜蜜得多

内尔和伊玛尼

定会想办法填补。我和可爱的女儿进行了那次对话的第二天，我把头发剪短，弄了个非洲圆蓬式发型，我一直留着这样的发型，直到女儿的头发长到比我的长。"现在，"我说："现在你看到了么？我跟你说过，你和我的头发是一样的。"女儿先摸了摸我的头发，又摸了摸自己的头发，脸上绽放出灿烂的笑容。在伊玛尼看来，这说法是有道理的。但是，当时母亲看到我时，惊声尖叫。"你做了什么呀？"母亲会大喊，"哦，天啊！你看起来像个黑鬼。"

那是母亲最后一次管我叫黑鬼——牙买加土话，黑人小孩的意思。

母亲和女儿，或者更确切地说，我的母亲和我的女儿。我所认识的非裔美国女性，在生命中至少有一次因为头发的问题心烦。头发有着那种质地、那种形状、那种颜色；可以下决心把头发拉直，也可以任其生长，骄傲地宣告其有时粗犷的特点——所有这一切，都暗示着，不管我们怎么做，我们的头发总是能引发别人的反应或者论断。但是，负面论断总是出自母亲之外的其他人。母亲对我的反应是一种病态的，是我们关系中最基本的症结，是我们之间缺乏基本认同感的表现。我一直是我父亲的好女儿，这一事实似乎触碰了她最脆弱的神经，使她火冒三丈。"你不懂，没有父爱，这样长大，会是什么样子。"母亲会这么跟我说。

母亲说得对。但是，年轻时，当我听她这么说，只听到哀诉而已，令人心烦。她抱怨次数太多，我懒得当回事儿。这一直存在，极其容易被忽视，就如同厨房墙上的一条细细的裂缝，如同一种意料之内的指责，那是她的一句口头禅。但是，我们长大成人后，有时候回忆往事，那些我们听了太多次的话，我们又试着倾听，就像生平第一次听到。

如今，我生平第一次倾听母亲说的话。

我发现，自己努力想象着母亲当年还是个小姑娘的样子。

追求你的人，
不一定和你结婚。

——加勒比谚语

第二章

爱开始的地方

牙买加金斯敦 1918

从 17 世纪开始，金斯敦成为牙买加的首都，纵然有风暴和地震肆虐，金斯敦依旧繁荣起来。从 1850 年开始，直至 1920 年，该地人口一直激增。这小小的港口城市，各路人马蜂拥而至，有主要来自帝国主义英国的白人、其他岛民、中国人、印度人等等。大量人口涌入，也带来了高失业率、道德败坏和犯罪。一位观察家写道："鼎盛时期……金斯敦散发着臭味，混合着热带地区高温天气时人们到处走动时的汗味、垃圾腐烂时的气味、死去动物的躯体的腐臭、街道排水系统里污水的气味。"

金斯敦遍布木制房屋和实用主义建筑，这也许让这个城市缺少了西班牙殖民城镇的魅力，但是，其自然美景实在无与伦比。城市南边是世界第七大天然港口，北边被蓝山环绕。在 18 世纪和 19 世纪，金斯敦被称为西半球最重要的贸易中心。

1907 年的那场地震摧毁了这座城市，地动山摇，存留下来的那些东西，也被接踵而至的大火烧得一干二净。然而，对于一些人来说，毁灭也为重建和美化这座城市提供了契机。到 1917 年，一个新金斯敦浴火重生，这其中有中国移民和其他具有创业精神的移民的功劳。移民大量涌入，在城市里留下他们的足迹。

1918 年 11 月 5 日，我的母亲生于金斯敦。父亲名叫塞缪尔·罗，是位中国商人，母亲名叫艾伯塔·贝丽尔·坎贝尔，是牙买加人。她是他们的第一个孩子。牙买加最重要的出生仪式之一，就是要让婴儿"百

艾伯塔·坎贝尔。塞缪尔·罗和艾伯塔·坎贝尔并没有结婚。在塞缪尔·罗娶妻之后，她勃然大怒，带着内尔离开，永远地离开

鬼不侵"。牙买加到处都是鬼魂和恶灵，催生出当地文化，对付这些看不到却法力高强的存在，要么把百鬼打跑，要么保护自己。百鬼可能来自一个死人的魂魄，或者其他灵界存在，百鬼可能侵扰无助婴儿的灵魂，甚至性命。于是，父母们要让刚出生的婴儿"百鬼不侵"，就在出生证上写一个名字，却从不用那个名字。

我母亲名叫内尔·薇拉·罗。我找到了母亲的出生证，颇费一番周折。我们试图用她母亲的姓氏来找，也就是找内尔·薇拉·坎贝尔，我们又用内尔·罗和薇拉·罗来找，没找到。用艾伯塔的女儿、阿尔伯特的女儿、伯塔的女儿来找，甚至用贝丽尔·坎贝尔来找，还是没有找到。我的母亲"百鬼不侵"，做得太彻底了。

也许这里无须多言，塞缪尔·罗和艾伯塔·坎贝尔并没有结婚。我的父母都是非婚生子，是私生子，或者，在牙买加，这被称为"私生子"，想想看，这真是奇怪。父亲的继姐奎达姑姑曾经解释说："你要是听到谁是'私生子'，你就知道这个孩子不是婚姻的一部分，或者不是某个已婚家庭的一部分。"父亲生命中有很多大人，从某个意义来说，也许有点太多了；但是，母亲简直可以说是离群索居，从年纪很小时就开始。母亲很少跟我们说那个时候的事情，也许因为母亲想不起来了，也许因为那段岁月，她根本不想记得。

母亲的父亲塞缪尔·罗最终成为圣安教区圣·安斯贝城的一名商人，生意兴隆。但是，他的零售业务始于在克拉伦登教区一个叫摩可小镇的地方开的第一家店铺。摩可小镇那个地方偏远落后，在牙买加，说一个人从"摩可小镇"来，相当于说这个人是蛮夷。塞缪尔·罗的店铺是一种什么都卖的小型杂货店，被称为"华人店铺"。作为店铺主人，他已经完全融入摩可小镇社区，又是年轻未婚，自然与当地数位女性发展了恋爱关系。我母亲出生前后，他至少与两位女性恋爱，一个是我母亲的母亲——艾伯塔·坎贝尔，另一位是埃玛·艾莉森。这两个女人很可能彼此不认识，虽然在 1918 年底，她们都生了女儿。我的母亲出生在 11 月，埃玛的女儿阿黛莎出生在 12 月。

我猜想，一个男人要是有不同女人为自己生育了子女，这个男人可能要把时间错开。虽然母亲还很小的时候，就与塞缪尔和艾伯塔住在塞缪尔开在金斯敦的一家小店铺里。一家人会一起吃饭，塞缪尔会陪着自己幼小的女儿一起玩儿，跟女儿说话，教女儿数数，用的是客家话，也就是塞缪尔所属中国境内的一个族群所使用的本族语；他拿店里的东西给女儿，当作奖励。就在这个时候，当地居住的黑人和中国移民之间的关系越来越紧张。牙买加民族主义刚刚开始兴起，早期运动领袖之一马库斯·加维（1887—1940，黑人民族主义者。他宣扬黑人优越论，提倡外地非裔黑人返回非洲，协力创建一个统一的黑人国家——译者注）。马库斯·加维是牙买加人，逃亡黑奴的后人。逃亡黑奴是一群敢于反抗的奴隶，富有传奇色彩。加维领导的世界性的黑人民族主义运动开始于 1920 年前后。

内尔出生后，艾伯塔继续打理塞缪尔在金斯敦的店铺。塞缪尔勤快肯干，到牙买加，当然是为了赚钱，所以，他在摩可小镇有店铺。这个店铺由埃玛·艾莉森打理，埃玛是他另一个女儿阿黛莎的母亲。

牙买加"乡下"教区里的居民，没什么文化，又与世隔绝，对于他们来说，黑人民族主义的国际运动显得不那么重要，他们更在意的是自己的亲身经历，他们眼睁睁看着中国人赚钱，黑人却依旧贫困。针对中国人的一系列行动，源于单纯出气的动机和强烈的阶级嫉妒，这两大原因混合起来，颇具破坏力。各种怨恨，恣意滋长，被大大小小的事件刺激着。男人们总是骚扰当地女性，像艾伯塔这样的，胆大包天，和"华人"生了孩子。还有一些事件让人骇然，有的华人明明没有犯罪，却遭到谴责，有的华人明明没有违反法律，却遭到殴打。有时，华人的店铺被烧，中国商人被谋杀。

面对危险和冷眼，艾伯塔默默忍受，因为塞缪尔让她和女儿过上了自己从来不敢奢望的生活。她勉强度日，打理他的店铺，理所当然地认为，自己虽说不是塞缪尔的夫人，至少也是情人。1920年，塞缪尔似乎跟她说起一件事，中国的亲人会给他送来一位中国新娘，新娘来自当地望族何氏家族。新娘何瑞英比他小12岁，二人从未谋面，两个家族为他们"定下"婚约。塞缪尔是个传统主义者，认为自己的中国新娘肯定会抚养他那有一半牙买加血统的孩子，就像她抚养自己的亲生孩子一样。

艾伯塔觉得情人背叛了自己。那些乡巴佬式的男人和女人对她谩骂和侧目，这一切她已经忍受了，塞缪尔又决定换人了，这是直指灵魂的一种侮辱。现在别人会笑话她和中国仔"躺在一起"。她勃然大怒，带着内尔离开，永远地离开。母女二人来到乡下，那里对塞缪尔来说是个神秘的所在，却会成为内尔的家。内尔被安置在那里，由并不慈祥的外婆照顾，藏身乡下，躲避令人失望的父亲。

艾伯塔当时可能满腔愤怒，甚至心都碎了，但是，要不是恢复能力惊人，她就不是艾伯塔了。年轻、漂亮——最重要的是——没有男人或者孩子的羁绊，艾伯塔仍是自由身。不久之后，她踏上一连串冒险之旅，时而出现，时而消失，毫无预期。她开始了新生活，北上去了金斯敦，与此同时，内尔一天天长大，没人疼，没人爱。所有人对她的反应，不是完全冷漠，就是非常敌视。这应该就是内尔痛苦的根源——在乡下，和外婆生活在一起，父亲根本见不到面，母亲极少在身边，完全没有机会接受真正的教育。

我的母亲是艾伯塔的第一个孩子，但是，当内尔大约五岁的时候，另外一个小姑娘出现了。她名叫海厄森斯，是艾伯塔的第二个女儿，是个牙买加黑人，没有一点儿华人血统。这两个孩子作为一个紧密团结的家庭单位成长起来，从我听到的事情来看，并没有这样的暗示；母亲不遗余力地坚持让我和哥哥们有尽可能很近的关系，也许源于她总觉得自己在这个世界上孤身一人——这种感觉，她不想发生在我们身上。从很多方面来讲，她是"私生子"。她就是那样一个孩子，父亲不见了；她就是那样一个孩子，跟别人长得都不像。

艾伯塔从那以后杳无音讯，这意味着，埃玛·艾莉森一枝独秀，成了塞缪尔·罗在牙买加的伴侣。埃玛生过三个孩子——第一个孩子六岁就死了；又生了两个孩子，阿黛莎和一个名叫吉尔伯特的小男孩儿，吉尔伯特出生在 1920 年 4 月。塞缪尔的这部分家人住在摩可小镇，埃玛就在那里打理塞缪尔的店，这家店就在摩可小镇路的拐弯处。小小的街区依然被人们称作"香港"，因为小店铺和酒吧当年是由中国人经营的。

但是，这都是塞缪尔的中国新娘到来之前的事了。何瑞英来金斯敦与塞缪尔成婚时，吉尔伯特还在吃奶。华人孩子出生在牙买加，人约十岁大时，就送回中国，开始熟悉自己的华人身份，这在当时也不是什么稀奇的事。孩子们会生活在由女性管理的家庭里——那些女性是留在广东省的华人妻子。也许从艾伯塔的事上，塞缪尔学乖了，他与埃玛·艾莉森商议阿黛莎和吉尔伯特的抚养权问题。为了争得两个孩子的抚养权，塞缪尔给了埃玛一座房子，就在摩可小镇最高的山上，精致而又坚固。埃玛得到一座房子，却失去灵魂的一部分，她再也不能疼爱阿黛莎了。女儿要由另外一个女人抚养成人，那是女儿的"新"妈妈。

瑞英跟自己的新婚丈夫说，她会接受阿黛莎，并视如己出，但是，她拒绝接受男孩儿吉尔伯特。和内尔一样，阿黛莎继承了父亲的华人五官特点和肤色，看上去，就像她的父母都是华人一样。但是，吉尔伯特长相更像埃玛，五官特点虽有些华人的痕迹，他的肤色却是牙买加黑人，明眼人都能看出来，这孩子不是瑞英亲生的。塞缪尔乞求瑞英，瑞英不肯让步。"把男孩留下，让他的母亲抚养他，照顾他。"她坚持道。于是，就这样了。这事也许还有另一个原因：瑞英坚持说她才是家中长子的母亲，在中国社会里，这代表着一个女人的社会地位和重要性。

结婚之后，塞缪尔离开了摩可小镇和金斯敦，开了一家更大的店，这一次是在圣·安斯贝城（这里碰巧是歌手鲍勃·马利的家）。这座城市位于岛的中北部，隶属于牙买加最大的教区，地理位置优越，植被青翠，是岛上最美的地区之一。塞缪尔把弟弟仕朝从中国接来，帮助自己打理生意。

塞缪尔想着建立一家企业，名为塞缪尔·罗兄弟商店。他和仕朝筹划着，要把吉尔伯特带回中国；仕朝打算几年之后回中国，到时候，带着吉尔伯特一起走。不论如何，塞缪尔要把自己的长子留在身边。仕朝给了埃玛钱，顺便看看吉尔伯特。但是，几年之后，仕朝在牙买加意外去世，留下了吉尔伯特，打破了吉尔伯特父子团圆的计划。

塞缪尔·罗共有八个孩子活了下来，只有吉尔伯特和内尔这两个孩子从未受到父亲的疼爱和照顾。他们两个人也彼此不认识。两个人同父异母，住在一个小街区，却从不知道彼此之间有着亲属关系。1927年，当时内尔九岁，吉尔伯特七岁，他们的父亲带着自己的中国妻子动身去香港，带着九岁大的阿黛莎和三个中国儿子。三个儿子都是在牙买加出生，名叫早英、早舞和早刚。

自此，我的母亲和吉尔伯特再也没有见过他们父亲的面。阿黛莎再也没有见过自己的母亲，也再也没有见过弟弟吉尔伯特。我们家族中的失散模式正式开启。

内尔的生活辛苦艰难，充斥着繁重劳作，无休无止。她上过学——她说自己上到第二部分，相当于美国学校教育体系中的七年级——但是，随后外祖母就不让她上学了。要她开始赚钱，为别人打扫房屋，在农场干活儿，以此获得继续被收留的资格。内尔给奶牛挤奶——对我们三个土生土长的纽约人来说，给奶牛挤奶只在儿童故事书里才有，不是真实的生活。我的哥哥霍华德却记得，真正让内尔忧虑不已的，其实不是农场里的重体力活儿——工作辛苦，我的母亲从不退缩，她体内有这样的基因。不是的。这个杂活让人觉得痛苦的是，为了走到奶牛身边，内尔不得不从一小撮杂七杂八的农场男工人身边经过。她没有说原因，可是，她只不过是个柔弱的小姑娘，身边没有父亲、兄弟、祖父外祖父、叔叔舅舅来保护她。

内尔十二岁那年被强奸了。这个旧事，她跟我说了——没有跟我的哥哥们讲——她只是想让我深深懂得男生有多危险，性有多危险，身为一个"孤女"有多危险，很容易被制伏，一旦受到损害，永远无法弥补。内尔可以把被强奸的事跟外祖母说，但是，外祖母不会采取什么措施来保护她，也不会为她复仇，甚至连讨回公道都不会。

内尔继续工作，非常卖力。她学会了缝纫，最终达到了专业裁缝的水平。她裁剪布料，设计衣服，用针线活儿来养活自己。但是，她最大的不满，她伤心的真正原因，是她从来没有完成学业。我的母亲是个聪明女人，但是，她出身贫寒，是个"私生子"，终其一生，都是边缘人。

寻亲过程中，我心潮澎湃，内尔肯定也是一样心潮澎湃。她需要知道，她需要找到自己的父亲。1933年，那时候，母亲快十六岁了，她四处打听，找到了其父在圣·安斯贝主街上开的店铺。她肯定精心准备，穿上特别的衣服——母亲是位裁缝，有本事让人看起来姿态优雅。她甚至还可能一遍一遍练习自己的说辞，想象着自己和父亲重聚的温馨画面。她的父亲就是名叫塞缪尔·罗的一位商人。她走进那家店铺，闻到香料、干货、衣服和食用油的混合香气，那种味道很特别，那是她很久很久以前记得的味道，那时候她尚在襁褓，那时候她还是个小孩子。两个华人男子——那是她的叔叔献朝和伯伯仕朝——跟她打了招呼。

当叔伯们见到她的时候，有没有因她的相貌而大吃一惊！在她那棱角分明的脸上，她那距离有些远的双眼，叔叔们有没有依稀看到他父亲的模样？也许从她的举止、身高、仪态能看出来？然后，她开口问道，她父亲是否在这里，她要找父亲。叔伯们看到这个女孩子出现在一个慵懒而又闷热的下午，肯定惊讶，他们的兄弟十多年来一直说起这个女儿。她有些腼腆，却十分端庄，她有一种存在感，这也许连她自己都没有发觉。

我的父亲在哪儿？他在这儿么？

要是她六个月以前来，答案也许是肯定的。但是，她来得有些晚了。这么久，你父亲一直在找你。他们肯定这么说。你父亲爱你，很想你，想留你在他身边。

但是，他那时在那儿么？

答案是否定的。他的父亲已经动身回中国了，不会再回来。叔叔们跟她说，父亲在牙买加的日子已经结束了。叔叔们给了她一副珍珠耳环，他们说那耳环是父亲留给她的，她父亲肯定希望她能收下那副珍珠耳环。那一天，我的母亲转身离开了那家店铺，她没有想要去中国寻找父亲，中国距离牙买加真的有万里之遥。她肯定比生命中任何时候都要感到更加孤独。

有父亲的那段岁月，永远地终结了。

高利贷和奥比亚术

詹姆斯·亨利·威廉姆斯，在金斯敦人称"杰克"，习惯了靠脑袋灵光而度日，要什么，总能有什么：车子、房子、好衣服、大把金钱。他是个富有的人，靠放高利贷谋生。在贫穷的街区，大部分人不能够享受银行的服务，放高利贷者的功能，在于从资助者到剥削者。我父亲的表弟查利·米德说，"我记得人们管他叫财神爷，威廉姆斯先生让表兄弟艾瑞克变得很有钱，那是大人物的儿子啊。"

几十年之后，20世纪30年代，亚历山大·巴斯塔曼特，牙买加首批受众人追捧的政治领导人之一，起初也是放高利贷的，或者叫放款人。

祖父詹姆斯的结婚证明

他完全可以冒充白人，说起话来像"人民公仆"，但是，其实他是中产阶级。与很多牙买加人一样，他四处漂泊，只为生计，到过很多地方，比如古巴、巴拿马、哥斯达黎加，也经常去美国。当他回国之后，海外经历成了他的优势。可以说，杰克·威廉姆斯从事的行当还是具有一定地位的。

杰克·威廉姆斯懂得如何把握时机，最后成为赢家。他肯定是位相当成功的放高利贷者，就在他仁爱路的办公室里苦心钻营。他的副业帮他把放款生意套现，但是，那全靠别人的迷信和他自己心思活络。他施行奥比巫术，这是一种特别的巫术，非裔美国人称之为"根"，存在于加勒比海和西印度群岛地区。奥比巫术起初只是当地一种治疗方法，也是一种宗教仪式，最终演变为一种嘲弄殖民势力的方式。

如何利用旧有迷信，获得利润，杰克找到了其中的门道。需要这项服务的人会找到杰克，求他帮忙解决问题，或者什么东西坏了，要修补，或者可能治愈一种疾病。杰克会听潜在的客户说话，弄清楚客户需要什么，然后，给出相当睿智的建议。但是，要解决问题，要靠最后一步。客户也许愤愤不平，也许饱受身体或者精神的折磨，要想安抚神灵，就要上贡，最好是如假包换的现金。杰克会建议客户把几先令——五个、十个，都行，那是吉祥数字——在满月的那天放进一个小包里。杰克说，这个做好之后，你必须在某个特定时刻——可能是子夜之后十五分钟——从特定的一棵辣椒树走上五十步，然后，把小包埋在树下一个特定的位置。钱埋好以后，要祈祷一下，这样就能让神灵安静下来，这样，上贡就完成了。第二天早晨，客户的灵魂等待安抚的时候，杰克就会前去，把钱挖出来。这样得来的钱，就成了借给街区里其他人高利贷的本金。

杰克·威廉姆斯，牙买加人，是我的祖父。

我的父亲艾瑞克

　　1917年8月25日，那是一个闷热的周六，就在牙买加金斯敦，一个14岁的女孩萨拉·劳埃德分娩。萨拉是个天真的乡下姑娘，来自摩可小镇。也许，跟其他孩子一样，她也曾经光顾过塞缪尔·罗开的某家华人店铺；如果真是这样，她也许瞥见过店铺主人，甚至还可能收到过店铺主人给的糖果。想象一下，两个陌生人碰巧谋面，几十年以后，他们会有共同的后人，而且整整三代，这实在有趣。

　　1916年秋天，萨拉被表姐梅叫到这座离家60公里，也就是37英里的大城市。城里人请乡下的表亲过来，好让他们有机会暂别红黏土农场，见识一下更加精致的环境，这并不是什么稀奇的事儿。于是，萨拉辞别母亲，拿着三先令，来到这座城市。这里熙熙攘攘，充满生机，她一辈子都没见过这么多人。萨拉能帮表姐缝衣服，也能帮她做别的什么杂活儿；对于梅而言，萨拉既是女性亲戚，也是仆人。梅万万没想到，在自己的生命中，萨拉还可以扮演其他角色。

　　梅嫁得很好，她的丈夫是杰克·威廉姆斯，生活相对舒适。但是，在一个到处都有小孩子的街区，夫妇二人没有子女，无儿无女也算"贫穷"——和其他种类的贫穷一样显眼。对于杰克和梅来讲，这肯定是矛盾和痛苦的根源。萨拉到来之后不久，杰克引诱了她——实际上，他犯了法定强奸罪——然后，她就怀孕了。杰克就那么想要一个继承人么？萨拉·劳埃德对他来说那么诱人么？他是不是烦透了梅，任何女人都能满足他的需要？或者，他就是这么个男人，自己说了算？不管如何解释，梅从没料想到会是这样的结果，她本来只是希望自己的表妹来帮忙料理家务的。

在这个羞辱事件发生之前，梅就经常不耐烦，经常神经紧张。听说萨拉怀孕了，她崩溃了。她把女孩送到城里别的亲戚家，不让杰克再被引诱，也是为了自己，省得总是看到杰克背叛婚姻的证据。但是，她没有和萨拉断了联系。夏末的一个周六，就在金斯敦的汉纳镇汉纳街九号——这也是金斯敦这座城市的一部分，如今，这里的警察局被人纵火，

父亲艾瑞克的出生证明，上面的名字是艾瑞克·莫蒂默·威廉姆斯。出生证明上写的出生日期是错误的，当时人们都这么做。有时候，这也是使孩子"百鬼不侵"——保护孩子，免遭恶鬼的侵害

帮派横行——萨拉分娩，有接生婆帮着接生，梅也在场。

对于所有婴儿来讲，包括可耻的私通行径所带来的私生子，某些仪式还是要遵守的，不仅要震慑周遭事物，还要震慑灵界。在牙买加，灵界实实在在地存在着，人可以靠着灵界生活。比如，要在屋子里放一本打开的圣经，要在萨拉的肚子上抹上蓖麻油。男婴出生，身体健康，能哭能闹，人们会用剪刀剪断脐带，那把剪刀会和脐带一起埋起来。小男孩被洁净了，会被涂上蓝色染料，肚脐上会被抹上肉豆蔻。许多接生婆抽土烟袋，婴儿出生后，接生婆会把烟轻轻吐在婴儿的眼睛上。这样一来，

婴儿也变得百鬼不侵了。

以我父亲为例，恶鬼彻底被弄糊涂了，父亲有两个不同的生日。父亲艾瑞克·莫蒂默·威廉姆斯出生于 1917 年 8 月 25 日，而"艾瑞克·莫蒂默·劳埃德"，他那百鬼不侵的另一自我，据出生证明显示，则出生于 1917 年 9 月 16 日。

梅一直等到可以把那个婴儿带回家，让自己的丈夫看看。如果她以为这种委婉的控诉能够让杰克拒绝承认自己的私生子，她肯定失望至极。杰克非常高兴，他给孩子取名为艾瑞克·威廉姆斯，并且坚持要把艾瑞克当作他们自己的孩子和继承人来抚养。突然之间，梅成了母亲，她痛恨这个儿子，因为那个孩子是丈夫不忠的体现。她把对丈夫的满腔怒火全部撒在敏感的儿子身上——至少在杰克看不到的时候。我的父亲一直记得，家庭生活一分为二，要么被梅无情虐待，要么被杰克无限关爱。

萨拉依然保持被抛弃者的身份，但是，获准可以时常去看望自己的儿子。艾瑞克慢慢长大，他以为萨拉是自己的"阿姨"，心地善良，满怀爱意，非常温柔。虽然有些捉摸不透，与他那吓人的母亲截然不同。然而，梅一直都在眼前，这个女人殴打他的时候，丝毫不会内疚，想什么时候打，就什么时候打。

他在金斯敦上过两所学校，金斯敦技术学校和金斯敦辅导学院，对他影响比较大的，是金斯敦技术学校。金斯敦技术学校建校于 1896 年，在整个社区有着辉煌的历史，提供从小学教育直至高中教育，偏重贸易。这所学校，男女生同校，女生学习如何当老师，或者家政，或者手工；男生则学习工程、机械修理、焊接、电气安装。

牙买加依旧由英国地主阶级统治，国家独立（1962 年）是几十年之后的事了。主修商业学科的学生可以准备位于伦敦的英国皇家艺术学会的考试；那些主修技术课程和家政课程的学生则可以进入伦敦商业界学

父亲艾瑞克年轻时。他头脑聪明，在数学方面特别有天分

会，该学会是英国最大的职业技术机构。

在金斯敦技术学校学习期间，艾瑞克头脑聪明，在数学方面特别有天分。当我还小的时候，我看着父亲的朋友说出 10 个到 12 个多位数，让父亲相乘，再相除，再开平方根。不一会儿工夫，正确答案就从父亲嘴里冒出来了。我惊喜之余，也不禁纳闷："这事谁能做得到啊？怎么可能有人能做得到？"之后，我们上了小学，我看到大哥小艾瑞克也有同样的本事。我有结论了，我才是那个不正常的，别人都跟我父亲和大哥一样。

当身世之谜变得越来越清晰之后，数学的确定感肯定让老艾瑞克心里得到不少安慰。十五岁的日子，永远都不好过。对于父亲来说，情况变得更加复杂，那两个真相，令他震惊，改变了他的一生。其一，他得知萨拉阿姨其实才是他的亲生母亲。其二，他也了解到，自己之所以来到这个世界的那些不得体的各种细节。

他发现，亲生母亲被父亲引诱时，只有十四岁，这对他来说，肯定是个极大的打击。他只需看看他学校里那些年轻的女孩子们，就能想象得到父亲的行为是多么的不应该。然而，他崇拜自己的父亲——真相尽管让人心神不宁，也让人重获自由。1943 年，杰克去世，艾瑞克能够从梅手里逃出去，不用再像儿子对母亲那样，不用再听梅的话。他也决定去认回自己的亲生母亲萨拉，她饱受摧残，同样伶仃无依。

萨拉从这里来

我的叔叔哈里其实名叫安东尼·哈里森，他是我父亲的同母异父兄弟，年龄比我父亲小很多。哈里叔叔比我父亲晚出生 16 年，他们拥有同一位母亲，父亲却各有其人。哈里特别小的时候，总是搞不定"艾瑞克"这个词的发音和音节，那是我父亲的名字。当时有规矩，他必须称呼我的父亲"艾瑞克哥哥"，这个称呼就更难了。但是，孩子们非常善于省略音节，也善于建立自己的语言学逻辑，儿时设计出来的名称往往会延续到上年纪的时候。最后，哈里管我的父亲叫"Baba"。

令人称奇的是，在许多非洲语言和客家话里，"Baba"也有父亲的意思。于是，哈里叔叔称呼他的哥哥为父亲。从很多方面讲，这个省略的称呼也符合他们之间的感情状态。艾瑞克行为举止上的确像是哈里的父亲，又是管教，又是哄，又要确保哈里乖乖听话。这自然在两人之间建立了一辈子的紧张气氛，夹杂着恼怒、生气和爱意，如此反复。

一天，在佛罗里达州劳德代尔堡哈里叔叔的家里，我和哈里叔叔一起坐在厨房的餐桌旁，桌子上放了一瓶牙买加朗姆酒。叔叔告诫我，不要直接喝，要加上冰，要加上饮料，父亲在很多场合也这么说。

叔叔的声音让我一惊："葆拉，那么喝，酒劲太大了。真不懂你和哥哥们是怎么做到的。"

"哈里叔叔，不用担心。"我说，"没事的。"如何选择饮品，我根本不想讨论；我想跟叔叔聊聊他的母亲，我的祖母萨拉·劳埃德。哈里叔叔停了一下。"你现在就要我说？"哈里问道，仿佛这要求会在我们身上耗费大量时间和体力。

"当然。"我回应道。"为什么不呢？"

"那好吧，好吧。"

然后，哈里开始讲起。

"我姓弗洛伊德，对吧？有位先生姓弗洛伊德，从苏格兰来到牙买加。这位先生跟一个非洲女人生了两个孩子，一个是女儿，名叫范妮·劳埃德，活到一百零三岁，她有一个独生女儿。

"这位先生还跟那个女人生了一个儿子，取名锡福斯·劳埃德。锡福斯在摩可小镇遇到克图拉·布朗，两个人生了四个孩子，三个女儿和一个儿子。大女儿名叫艾斯达·劳埃德，嫁给一个名叫巴恩斯的男人。二女儿名叫萨拉·劳埃德，就是我的母亲，也是你的祖母。接下来是彼得·劳埃德，家里唯一的男孩。最后是凯瑟琳·劳埃德，是我的小姨，家里最小的孩子。"

家里最小的孩子凯瑟琳，全家人都叫她达达。

克图拉，也就是凯迪，是位善良的女性。据说，她把钱卷在一块布里，她对小辈舍得花钱。她全靠缝缝补补和绣花赚几个先令，患有青光眼，备受折磨，视力也不好。凯迪总是戴着墨镜，就连晚上也戴着。她的眼病遗传给了我家里人，直到今天，比如父亲、叔叔和哥哥们。

20世纪早期，锡福斯和克图拉已经有了第四个孩子。一家人住在克拉伦登，一个叫摩可的乡下小镇，外祖父塞缪尔·罗在那里开了他的第一家店。塞缪尔的店有没有把劳埃德一家当成自己的顾客？从我父亲这边算，萨拉是我的祖母；从我母亲那边算，塞缪尔·罗是我的外祖父。那前者会不会从罗手里买过货品或小东西？多年之后，他们的儿女会不会在哈莱姆区结婚？

锡福斯是苏格兰和非洲后裔，看上去像是个白人，十分富有。据我表弟查利·米德说，锡福斯拥有一块很不错的地产。"我对我的外祖父了解不多，他住在摩可小镇，离我们不太远。他有个妹妹，和他一样，肤色很白。那是个邪恶的女人，我以前经常听到人们叫她老太婆。"锡福斯爱上了克图拉，克图拉有时候也被人们称作凯迪姐。但是，锡福斯的姐姐痛恨深色皮肤的人。查利回想起，范妮对那些白皮肤的侄子侄女都很好，比如他的妹妹伦妮和我的叔叔哈里，但是，他说："她恨我，就因为我是深色皮肤，和祖母凯迪一样。"正是范妮，这个家里的大姐，禁止锡福斯与克图拉结成连理，那个身材高挑、深色皮肤、站得很直的克图拉。查利认为，锡福斯不会结婚，不会爱上另一个女人，不会再有孩子，他相当肯定，没有人能分走锡福斯对祖母凯迪姐的爱。

萨拉·劳埃德早就知道与自己的父亲就住在同一个镇子里，只是从未谋面而已。她觉得，姐姐、弟弟，还有她，应该有个父亲。

一天，萨拉和姐姐、弟弟一起合计着要去见他们的父亲，去父亲的家里。姐弟四人沿着土路一直走，终于走到父亲家的房子。"先生，日安，你好啊？"萨拉说。

锡福斯正在走廊里，和气地回答："姑娘，你好啊。"

"这房子真不错。"萨拉讨人喜欢地说，艾斯达、凯瑟琳和彼得在旁边看着。"这家主人和他的家人一定真心喜欢这房子，这房子太漂亮了。"年轻人很有礼貌，赞不绝口，锡福斯非常开心。

锡福斯说："这是我家，我们一家人的确爱这座房子。"

"我们也爱。"萨拉告诉他说，接着，表明了自己的身份。"作为您的孩子，我们有权利享受这一切。"从那儿以后，孩子们就知道锡福斯是谁了，但是，伤害已经造成，想建立亲密关系是不可能了。查利回想起，一天放学回家，看到有个男人坐在他家走廊里。查利问自己的妈妈，也就是凯瑟琳，或者叫达达，那个男人是谁。凯瑟琳姑妈跟查利说："哦，他是你的外祖父，他来看你。"在那个时候，锡福斯至少有十几个小辈，他决定要认识自己的孩子和孩子们的后代。

哈里叔叔说，这辈子，他的母亲把这个故事跟他讲了许多遍。那一天，锡福斯的私生子们跟自己的父亲当面对质，这个父亲却误信了自己的姐姐范妮，不肯认自己的孩子。克图拉遭到抛弃，要独自一人养大三个女儿和一个儿子，家里没有父亲。她觉得需要把自己的女儿萨拉送到大城市，去和有钱的表姐梅生活，这事就不稀奇了。

哈里叔叔向后靠在椅背上，讲述这段故事，其中有起伏，哈里叔叔时而激动亢奋，时而显出疲态。这就是哈里叔叔，七十多岁，风度优雅，依旧想试图弄明白，自己的亲生母亲怎么那么不好相处。

艾瑞克的成长过程

　　艾瑞克投奔了萨拉，却发现自己的母亲爱上了马克斯·哈里森，一位心地善良、充满魅力的先生。在生孩子方面，他貌似创造力非凡。他和自己的合法妻子朱丽叶·安德森·哈里森——萨拉的情敌——有三个孩子。马克斯也有私生子，足足有十一个子女之多；艾瑞克十六岁时，萨拉怀上了马克斯的第十二个孩子。突然之间，我的父亲被由继兄继弟继姐继妹组成的大网所包围了。根据牙买加当地传统，这样的家庭关系会维持好几代。然而，在祖母择偶这件事上，我的父亲相当失望，希望她过得更好，因此，他要求自己的父亲答应把每周给自己的零花钱全都给萨拉。看到自己的儿子这么慷慨，这么有责任感，杰克深感欣慰，于是，杰克不仅答应了艾瑞克的请求，还给了艾瑞克更多的零花钱。

祖母萨拉后来嫁给了马克斯。马克斯·哈里森是一位心地善良、充满魅力的先生

孩子出生了，萨拉建议，让艾瑞克给弟弟取名，我的父亲十分高兴。弟弟名为霍雷肖·安东尼·哈里森，用英国海军中将霍雷肖·纳尔逊的名字命名，那是18世纪拿破仑战争时期的一位统帅。艾瑞克这位英国好臣民将纳尔逊子爵视为英雄，认为自己的弟弟应该有个气派的名字。于是，我的父亲多了个弟弟，这个弟弟比他小16岁。兄弟之间年龄有差别，再加上其他方面的差别，比如性格方面，于是，生出紧张、怨恨、保护和烦恼——来来往往，穷尽兄弟俩一生。至于哈里叔叔，他自立后，就改掉了霍雷肖这个名字，改名为安东尼，为此，我的父亲从未原谅自己的弟弟。

1942年，朱丽叶·哈里森去世，留下一个女儿和两个儿子，奎达七岁，保罗五岁，马克西姆三岁，没有妈妈照顾。马克斯娶了萨拉，萨拉虽不情愿，却也成了三个孩子的继母。当时的生活肯定乱七八糟，萨拉自己有六岁的女儿卡门，也叫甜心；还有为马克斯生的儿子哈里，哈里当时九岁。五个孩子都不到十岁，对于任何女人来说，这都够受的，萨拉挣扎着担负此重担。还有艾瑞克，已经长大成人，当时二十一岁。

20世纪30年代，在牙买加生活，虽令人兴奋，但度日艰难。我的父亲和他的家人都和政治保持着距离，但是，政治仍裹挟着他们。全世界经济萧条，牙买加也未能幸免，在整个加勒比地区，反殖民主义情绪高涨，再加上困难的经济情况，导致罢工不断，社会动荡。向美国和其他国家移民的风潮结束了，许多国外的牙买加人回到祖国，要参与创建一个全新的——至少是不同的、解放了的——国家。

经济条件恶化，致使新的政治领袖和劳工组织崛起，意味着一段相对稳定时期——或者说，牙买加人忍受被殖民的限制和屈辱——的结束。经济崩溃了，情感方面也堪称极端，自杀率激增了百分之二十五。

我的父亲在金斯敦先后做过几份奇怪的工作。他的父亲经常雇他去做借贷业务中不那么体面却需要强硬态度的工作，父亲成了"执行者"。父亲收债过程中，开始了解这个城市和居住在这个城市里形形色色的人。我们还是小孩子的时候，父亲的工作颇有戏剧性，也非常危险，这让我们印象深刻。

我们最喜欢的一个故事是关于复仇司机的。金斯敦的一个司机也有借贷业务，是他的副业，一天出去办事的路上，他抓住了一个长期欠债的债务人，这个债务人一直不还钱，一直磨蹭。两个人一边走，一边吵，直到他们到了公车站，司机给了最后通牒："我得出去跑线了，等我回来的时候，你最好把钱给我准备好。"

于是，司机出去跑线了，等他回来，他的客户还在那里，两手空空。那个司机有着职业杀手般的冷酷和坚定，掏出一把大砍刀，把债务人的头砍了下来。爸爸总是说，债务人太想逃命了，他那没有脑袋的身躯跑了起来，一直跑到大街上。

这种寓言式的故事，让我们觉得整个牙买加世界就是这样，从"另一边"来的鬼魂、魂灵、怪事、说法，这一切和车前草以及朗姆酒一样，都是生活的一部分。但是，从实用层面来讲，我们的爸爸学着变得厉害，别人欠他的，他一定要回来，这个训诫，爸爸也传给了我们。父亲是个赌徒，玩扑克的好手，精通各种赚钱的点子。在我们住的地方，人送外号"冠军"，意思是，别人都输了，他把钱都赢了。

多年以后，杰克去世很久了，哥哥们陪着父亲回到牙买加。父亲相貌堂堂，一表人才，身材高挑，深棕色的皮肤——典型的牙买加人肤色。他皮肤光滑细腻，头发乌黑，弯弯曲曲——"好"头发，一点儿都不毛躁，住在阿姆斯特丹大道上的人说这种头发能"存住水"。尽管天气炎热，父亲依旧身穿三件套正装，带着窄沿帽，整套装扮让人看出，这是个对自己社会地位相当有安全感的男人，永远也不会穿所谓的"工服"，而我们把这种工服称为牛仔服。工服是穷人穿的衣服，在父亲看来，工服会贬低身价。

一行三人走在大街上，父亲突然咯咯笑起来。"看见那个站在街区最远地方的那个人没有？"他问道，"看着。他一看到我，准会跑到马路对面去。"真是如此，没走十步，那个人慢慢走进一行三人，他的眼睛越睁越大，神情紧张地看着我们的父亲。

哥哥们大笑起来。"爸爸，那是怎么回事？"霍华德问。

"他还欠着我父亲的钱，以为我是来找他的。"爸爸解释说。他的父亲，也就是那个有名的高利贷者，去世后三十年，还这样。

我的牙买加祖父去世时，我父亲还是个年轻人，祖父留给自己儿子的，包括所有的产业、两辆汽车、钱财，还有许多年轻女士的青睐。艾瑞克的生活与梅关系不大了，他保护萨拉，仿佛萨拉才是他的孩子，而不是萨拉保护他。

20世纪30年代末到40年代初，他开着车，在镇上逛，似乎整个镇子都是他的。他子承父业，赚了些钱，也给自己找了些别的生意。他格外关照自己的弟弟霍雷肖——家里每个人都叫他哈里。尽管大萧条袭来，尽管父亲年轻时历经坎坷，吃尽了苦头，尽管他这样的人缺乏机会，但他的日子过得相当不错。他手里有钱，知道自己的身世真相，卸掉了心头大石。没有什么能让他与梅有任何关系，梅现在是个寡妇。对一个不是自己母亲的女人，他根本没有任何尽孝的义务。

尽管艾瑞克非常慷慨，尽管自己有丈夫，萨拉还是需要一份工作。她在金斯敦著名的阿尔法女子学校找到了工作，成为一名颇有天分的裁缝。该校建立于1880年。一位富婆在金斯敦买下了四十三公顷地，那人名叫玛丽·安·贾斯蒂娜·里珀尔，拥有非洲、法国、葡萄牙和牙买加血统。在那片土地上，只有一座建筑物，被称为阿尔法小屋。在那座建筑物里，

FRASER PHOTO
STUDIO
51 DUKE STREET
(Corner LAW STREET)
KINGSTON
PHONE 4264

祖母萨拉。她在金斯敦著名的阿尔法女子学校找到了工作，成为一名颇有天分的裁缝。从祖母的生平来看，这很可能仅仅是份工作而已，除了她在那里结下的友谊。她与另一位年轻的裁缝相交，那个女孩非常美丽，浅色皮肤，"有一半中国血统"，名叫内尔·薇拉·罗

她起初收留了一名孤儿，也期待着她能给这个社区带来一些什么。

　　大约十年后，慈善修女会在阿尔法小屋安家，玛丽·安·贾斯蒂娜·里珀尔成了玛丽·彼得·克拉弗修女。起初，修女们从岛上每个教区领来孤儿来这里安置，给孤儿一个遮风挡雨的地方，给孤儿一个家。然后，正如全世界世世代代天主教修女一样，修女们建立了一所学校，让这些孤儿接受教育。学校最终发展成两所学校：阿尔法男子学校和阿尔法女子学校。不仅有孤儿，还有金斯敦周围的许多孩子，都穿上制服，学习文化课、自律和宗教。还有一座私立预科学校，成为精英学院，牙买加的精英——黑人和中国人——都把自己的子女送到这里接受良好的教育。对于萨拉来说，能在那里找到份工作，真是上天垂怜。

　　从祖母的生平来看，这很可能仅仅是份工作而已，除了她在那里结下的友谊。她与另一位年轻的裁缝相交，那个女孩非常美丽，浅色皮肤，"有一半中国血统"，名叫内尔·薇拉·罗。

两个私生子相遇了

大约是 1939 年前后，阿尔法女子学校的首席裁缝萨拉端详着这位二十一岁的姑娘，她有一半的华人血统，才开始在学校工作，萨拉就开始盘算。萨拉知道姑娘名叫内尔·薇拉·罗，也知道内尔的父亲并不在身边，内尔的母亲也算不上称职的母亲。萨拉看得出来，这个姑娘很漂亮，浅色皮肤，但是，家境贫穷，缺乏任何有地位的社会关系，根本无法得到体面幸福的婚姻——婚姻能把这姑娘从艰难的境遇中解救出来。

萨拉是在替自己的儿子艾瑞克着想。艾瑞克这个年轻人一表人才，时年二十二岁。也许，他跟那些女人混在一起，变得有些狂野，话说回来，那些女人实在也不能给他什么正面影响。即便如此，他还是个好小伙。萨拉意识到，她的儿子身上有两大累赘，让他难以找到合适的妻子。第一他的肤色非常深。愚昧的偏见——我想，所有偏见都是愚昧的——折磨着美国黑人，也没有放过加勒比地区的兄弟姐妹。一个人要是肤色很深，社会地位就比肤色浅的人要低一些。萨拉深知这肤色深浅的区别，深知这不同程度的有利条件。

第二个问题更加令人苦恼。任何来自体面家庭的女子都愿意嫁给来自体面家庭的男子。然而实在没有办法给艾瑞克的父母脸上贴金。对于婚姻外所生的孩子，对于私生子，生活是不幸的，但是，情况仍旧可以补救，乡下地方，这样的孩子多得很。然而，杰克·威廉姆斯名声在外，他与萨拉之间发生的事情已经超越了社会的接受程度。艾瑞克与生俱来的污点，就像圣经里的杀人犯该隐始终带着记号，对这件事情，实在没有什么办法，除非帮他找到一个姑娘。这姑娘生得俊俏，浅色皮肤，没什么牵挂，她家里人也不会连看都不看他一眼，就认为他没有资格。

萨拉把儿子艾瑞克介绍给年轻的内尔，内尔有一半华人血统，也是个裁缝。

不知怎的，内尔和艾瑞克在彼此身上找到了某种共鸣，或许两个人都懂得彼此骨子里那种孤单，或许两个人都有一种处于世界边缘的感觉，或许母亲希望被父亲人丁兴旺的大家庭所接纳。父亲有一个同母异父的弟弟和一个同母异父的妹妹。还有那些继兄继弟继姐继妹也是他生活的一部分。萨拉欢迎内尔成为家里的一分子，这表现出她对自己做红娘这件事非常满意。对于内尔来说，三岁以来，这是她最接近相亲相爱一家人的一次。

内尔和艾瑞克两个人发誓绝不要私生子，他们绝不让一个小孩子过那样的生活，他们深知那样的生活多么痛苦。两个人达成共识，最终开始一起生活。内尔缝缝补补，把钱存起来；艾瑞克做着好几份工作，他有工程技术，工作比较好找，成了一名模具钳工。他自己有收入，可以花自己的钱，还有遗产，喜欢和自己怀里的混血美女一起生活。

但是，内尔不会永远待在牙买加，她不会让这座岛成为她的囚牢。对于每个人来说，机会之地显而易见是美国，她母亲那边的亲戚也愿意资助她。她的姨妈从年龄上讲比她大整整一辈人，有责任心，完全自立，等内尔到了美国，将是她最完美的投奔人选。她的舅舅休·霍尔尼斯和小姨罗丝·霍尔尼斯已经成功到达那个繁荣的地方，在哈莱姆区第126街安顿下来。

美国经济大萧条，移民政策变得特别苛刻。内尔身份特殊，有一半华人血统，最初，这一身份是她的累赘。中国移民到美国来寻找发家致富的机会，盛行于1882年到1943年，面对大批涌入的中国移民，美国政府进行了诸多严格限制，来针对来自中国的移民和来自其他国家的华裔移民。美国政府于1882年颁布了《排华法案》，一些中国劳工可经过特别许可移民美国，但是，对于其他华裔移民的限制更加严苛了。

艾瑞克和内尔从相识到相知，然后生活在一起，此时，美国参加了第二次世界大战。对于住在金斯敦的人们来说，二战似乎只是个遥远的纷争而已。即使如此，许多牙买加人也在美国军队里服役，牙买加的一些港口也用于战争用途。战争的结果之一对内尔和艾瑞克产生了特殊的影响。1943年12月13日，罗斯福总统签署了《排华法案废除案》，这意味着美国政府破除了对华人入境移民的限额。机会终于来了，内尔欢呼雀跃。

我的外祖母艾伯塔·贝丽尔·坎贝尔，仍旧和自己的小女儿默特尔·海厄森斯·内瑟索尔一起住在金斯敦。默特尔阿姨是个美女，皮肤黝黑，生性活泼；内尔却浅色皮肤，气质忧郁。内尔差不多比海厄森斯大五岁，海厄森斯出生在1923年8月。这一对姐妹在外貌上的差距已经无以复加——这一点可以理解，她们各自的父亲实在天差地别。内尔继承了父亲的华人面孔，海厄森斯皮肤黝黑光滑，跟她父亲内塞索尔先生一个样。在牙买加，典型情况是这样的，只要女人讨得男人欢心，男人就一直留在女人身边。等到男人腻烦了，或者女人变得固执己见，或者别的女人对男人更有吸引力，那么，男人直接走人，到另外一个女人身边。有时候，男人能找到自己一直寻找的，留下来。否则，男人会继续流浪。最终，随着时间的流逝，男人变老了，也不在乎了。

牙买加有的是私生子。跟美国的情况一样，奴隶制度破坏了牙买加的核心家庭。在那段时期里，很少避孕，男女很容易滥交，这就意味着见怪不怪。艾伯塔·贝丽尔·坎贝尔跟两个男人生了两个孩子，而且两个男人都没有跟她交换婚姻誓言。

海厄森斯姨妈如何长大，我不得而知。但是，跟内尔不同，她被自己的母亲艾伯塔带大，有着母亲的疼爱。这对姐妹的区别，远远不止于生身父亲和肤色。母亲的童年充斥着言语虐待和精神虐待。母亲2006年去世，父亲的妹妹，甜心姑姑跟我说，我母亲"在外祖母的家里饱受虐待，她的妈妈和妹妹来乡下探亲时，内尔的外祖母会叫她待在屋子后面，这样客人就看不到她了。外祖母觉得脸上无光，自己的外孙女有一半华人血统"。全家人夸奖海厄森斯，宠爱海厄森斯，原因之一是，她年纪比较小。但是，最重要的原因，她是纯正的牙买加黑人，她的父亲不是什么不见人影的华人店铺老板。

母亲想离开那个岛，那里有太多的回忆，体罚式的工作、冷酷的亲戚、贫穷，谁又会怪母亲呢？有什么美好记忆是跟这个国家有关的呢？当然，她和艾伯塔之间没什么感情，却对妹妹海厄森斯有责任，家里的大孩子都这样。但是，母亲真正能记起的最后一点感情是塞缪尔·罗对她的疼爱。当时她还住在金斯敦，就在塞缪尔·罗开的店铺后边，那儿是她的家。

父亲。母亲。女儿。

华人店铺老板。牙买加情人。混血私生女。

人们会用不同眼光来看待当事人，更为重要的是，当事人也会用不同眼光来看待自己。

"一、二、三、四、五。"塞缪尔·罗会用他的中国方言客家话来教小内尔数数儿。童年时期，我有时候能听到我的母亲说些中文词语，那唱歌一般的声调，我听不懂，却让我觉得很舒服。内尔教给艾瑞克和霍华德更多中文词语："六、七、八、九、十。"

二十六岁时，母亲认为，牙买加能给她的，都已经给了，她要到一个新的国家开始新生活。那个时候，她已经是老姑娘了，牙买加女性到了这个年纪早就结婚生孩子了，她却选了另一条路。她说，没有男人为她做过什么事，一切事，她都要自己来。

美国放宽了对华人的移民政策，内尔决定申请签证，签证会是她走出牙买加的途径，是新生活的开始。她查阅了相关信息，了解了办理过程：只需要她出示一份文件，证明她的身份，她在哪里出生。对于大多数人来说，出示出生证明应该是办理过程中的简单部分。然而对于母亲来说，这却成了难以逾越的障碍：她根本没有出生证明，也从来没有见过自己的出生证明。

她去找艾伯塔，找自己的母亲要自己的出生证明。外祖母一番话，在我母亲的心头留下一道深深的伤疤。我母亲发誓定要保管好自己孩子的出生证明，那是重要的正式文件，要保存在离自己比较近的地方。艾伯塔从未登记过自己大女儿的出生记录，甚至没有花时间跟户籍总署署长把文书工作做好，没有在牙买加官方记录中留下母亲是谁、什么时候出生的记录。内尔不仅是个私生子，从官方来看，根本不存在这个人。

母亲的出生证明，我找了很多年，没有结果，于是，我交了一笔费用，请牙买加户籍总署署长办公室来找，要证明内尔是塞缪尔·罗和艾伯塔·贝丽尔·坎贝尔的孩子。我收到一封邮件，说内尔·薇拉·罗出生于"1918年11月15日"，母亲是艾伯塔·坎贝尔，"女管家"，我总算得到了一半答案。在文件上，我发现了找寻多年未果的原因。艾伯塔是在1945年1月才将自己的大女儿的出生记录在案。

我的母亲肯定非常恨自己的母亲，就因为自己的母亲让自己遭受这样的尴尬。这么多年来，内尔卖力干活儿，直到长大成人，还是得不到母亲的尊重，这肯定就是骆驼背上那最后一根稻草。我太了解自己的母亲了，她会礼貌地暗示艾伯塔走出自己在金斯敦约翰逊镇圣约翰路7号的家门，走上几英里，去到圣·安德鲁教区政府办公室，最终把内尔的出生记录在案，对此，我表示怀疑。我太了解自己的母亲了，在我的想象中，母亲对艾伯塔一番谴责：这么多年，疏于照料自己的女儿；这么多年，从不尊重；这么多年，一直遭受虐待。这一切，肯定让母亲气不打一处来。内尔很可能和艾伯塔一起站在政府办公室，证明自己事实上就是内尔·薇拉·罗。母亲姓坎贝尔，女儿姓罗。文件上"父亲姓名和住址"一栏，还是空白。为什么？为什么不写上"塞缪尔·罗"和"金斯敦"？

母亲二十六岁了，马上要二十七岁，她知道自己父亲的名字，艾伯塔也知道自己情人的名字。但是，在牙买加，并没有要求登记父亲的名字，我找遍了法律文件，上面从来没有同时记录母亲和外祖父名字的情况。唯一的例外是母亲的死亡证明，那是我负责填写的。"她的母亲是艾伯塔·贝丽尔·坎贝尔。"我跟葬礼策划人说，"父亲是塞缪尔·罗。"

二十六岁，快要二十七岁，内尔·薇拉·罗终于变成被官方认可、合法登记的牙买加公民。虽然拿到文件时间足够长，但她可以填写美国大使馆所要求的签证申请表，然后，她就可以离开牙买加，离开艾伯塔。我怀疑，她也想离开艾瑞克。

谎言与婚姻

1945 年，内尔离开艾瑞克，登上了泛美公司航班，飞抵迈阿密。随后，她乘坐火车从迈阿密到纽约市，去见小姨罗丝·霍尔尼斯和休舅舅。有生以来，第一次，很多意义上，也是最后一次，内尔自由了。我不知道，内尔和艾瑞克之间是否有暴力行为，也不知道内尔是否意识到自己想要更好的生活，而牙买加那座岛根本给不了。1945 年 3 月，内尔在哈莱姆区安顿下来，在接下来 60 年里，她把那里当作自己的家。

艾瑞克备受打击，下定决心，就算内尔抛弃了这座岛，内尔也休想抛下他。他下定决心，要和内尔共度余生，不管是在金斯敦，还是在纽约。想要官方给他签证，那根本不可能——当时，牙买加的年轻男人得不到签证——于是，他找了份在蒸汽轮船公司的工作。

关于父亲到纽约的过程，我的父亲至少说过两个版本：一个版本说给女儿听，一个版本说给自己的两个儿子听。父亲告诉我，他是一艘商船上的模具钳工，是机械师，负责修理发动机，跟着商船一路向北。父亲跟哥哥们说自己是偷渡客。有那么几年，我与哥哥们意见不合，我们只能求同存异。2014 年，我和父亲那边的嫡亲表弟查利·米德坐在一起，那是达达的第二个儿子。"查利，"我问道，"我的父亲怎么到的纽约？为什么到纽约？这事你知道吗？"

我的表弟给了我那样的表情，眼睛熠熠闪光，笑容顽皮，说道："我当然知道艾瑞克怎么到的纽约。我说他是'头等舱偷渡客'，我们经常

内尔离开艾瑞克，来到了美国。1945年，她在哈莱姆区安顿下来

笑作一团。"查利跟我说，1945 年，杰克·威廉姆斯付给康拉德·斯威特兰一笔钱，让人家把他的儿子藏在船上，要保证自己的儿子吃好，藏好，有人照顾，就像付钱的乘客一样。"艾瑞克是我所知道的唯一一头等舱偷渡客，但是，你看啊，他的父亲那么有钱，艾瑞克得不到的只有签证"。

查利对于表哥的行程如此熟悉，为了理解这一点，我首先要理解查利离开牙买加的方式和我的父亲迥然不同。"大约五年后，我偷渡过去。"查利说，"那个时候，我们想去美国，但是，我发现最好的机会——那些日子里，我在码头观察船上的情况，你知道的，警察、货物和船的目的地——是英国。"查利发现，那周出发的船，他最好的选择是一艘驶向英国的船，而不是驶向美国。于是，他用塑料把自己的英国护照包起来，用胶带紧紧地缠在小腿下方。塑料可以保持护照不被弄湿，万一他得跳进海里，躲避警卫队、警犬或者警察的追捕呢。查利知道，自己要是到了英国，却没有护照，会被遣返回牙买加。"但是，手里拿着英国护照，我就是英籍人士，英国政府不会把我遣返回国。我会被扣留一两天，然后，就会被释放，接着，我就成了大不列颠的公民了"。牙买加人已经被列为英国公民，只是生活在一个英联邦国家而已。

查利说，他从未奢望自己的旅途会像我父亲那样。"艾瑞克睡在船舱里，藏得好好的，有人给送吃的喝的！那是哪门子偷渡啊？"想着我父亲的绝佳运气，他大笑起来，觉得很有意思，摇摇头。"他来得容易，一路上舒舒服服，我却来得不容易"。

查利说，他寻思着，一旦到了伦敦，自己该怎么办。"但是，我先要过了警犬这一关，那些破狗守着码头，以防偷渡客"。查利蹲在防波堤后面，一藏就是几个小时，警犬在狂吠，警卫队到处搜查，看有没有偷渡客。"我从来没有那么害怕，我真想登上那艘驶向英国的货船，但是，要是警犬发现了我和那些跟我藏在一起的人，我们肯定会被撕成碎片，以儆效尤"。

时间似乎停止了，查利和他的同伴终于登上了那艘船，藏在贮煤室。"天啊，我们大概在那儿待了好几天，我们又渴又饿，实在受不了了。我们知道已经在海上航行了好久了，船不会再返回了，我们开始敲墙，敲水管，弄出很多声音"。他们觉得，就算现在被发现，也没有关系，下一次，他们的双脚再踏上的陆地，将是英国的土地。

"有个负责发动机的船员，听到了我们弄出来的声响，来看到底怎么回事。"查利说，"那个人打开锁着的门，只看到人影，黑乎乎的，浑身都是烟灰和煤渣，那个人砰的一声把门又关上了，尖叫着，逃命去了！他以为自己看到了鬼魂。"查利大笑起来，泪水弥漫着他的双眼。"那个家伙以为船上有鬼，开始尖叫、嚎叫。他能看到的，只是我们的眼白和牙齿。"

那个船员叫来其他工作人员，几分钟后，"恶鬼们"被从贮煤室里放了出来。"他们所有人都很害怕，船上似乎流行着什么迷信。"不管是不是迷信，查利和其他人被带到一处。船员搜查了整艘船，发现14个偷渡客，这些偷渡客都是在船离开金斯敦前就藏在船上的。

"船员把我们关在厨房附近，天啊，我们一顿吃，就像吃了那顿就没有明天了。"查利又大笑起来。偷渡客们弄开了食品储藏室的锁，查利说，他们吃着肉、蔬菜，甚至还吃到了甜点。"我们吃得太好了，那儿好多吃的，船员甚至根本没有注意到我们这群饿了三天的人吃了多少东西"。

船长让人给偷渡客搜身，发现了他们的护照，就把护照全都没收了。"然后，船员就让我们干活儿，清洁、擦地，做着被雇佣的船员——水手的工作。天啊，我们擦洗甲板，清理厕所，从天亮忙到天黑，天黑后还要干活儿。我说，我又不是奴隶，拒绝继续被这么虐待，其他人也跟我学。"查利说，他们的"偷渡客罢工行动"只坚持了一天。"船长叫

079

第二章 爱开始的地方

人把我们锁在船首。当你就在船的最前边，到了一定时候，你要乘风破浪，"他解释说，要注意到船破浪前行的时候，会产生最大的湍流。"那天晚上，我们被丢进一间屋子，又撞墙，又撞地板，被一顿痛打！天啊，我从来没有经历那样的夜晚，在那之后，也再没有过。"第二天早晨，偷渡客罢工结束，继续扮演自己的角色，就是甲板水手，没有薪水，毫不情愿。

三个星期之后，船靠了码头，查利说，他和同伴们都非常激动，他们到了英国，很快就要动身去伦敦和同乡、和亲人团聚了。同乡和亲人的名字和地址，他们都记得很清楚，要不就写在一张小纸条上。但是，事情的发展并不如人意。

"我们从舷窗往外看，知道我们到地方了。"但是，事情和他们所期待的不太一样。"我们被关在船上，我们看到管钥匙的那个人——那个人每天夜里把我们关起来，天亮之前放我们出去——那个人上了岸。他离开了船，我们却被关起来了！"

"后来，那些人回来了，把我们送进了监狱，监狱啊！"他实在难以置信。偷渡客来到法官面前，夜里，法官放了他们，把他们放在英国的乡下。"晚上，去伦敦的交通工具都已经停运了，我们根本没有地方可去。"他们衣冠不整，每个人手里只有几英镑，那是英国政府给他们的。经人指点，他们找到了旅行者援助中心，专为处于人生低谷的新移民准备的。他们在慈善机构里翻来翻去，找到一些二手衣服和鞋子。"我往船上爬的时候，一只鞋丢了。"查利说，于是，他在船上整整三个星期都只穿着一只鞋子。第二天早晨，不久以前还是牙买加偷渡客的一行人到了伦敦，立刻被在诸如布里斯敦的一些地方牙买加人社区所接纳。

查利的故事让我有了更加清晰的认识，那些牙买加年轻男子要忍受怎样的困苦，才能到达他们眼中的机会之地。"对啊。"他说，"我的经历是偷渡客的经历——艰苦版的。"他大笑起来。"但是，艾瑞克的经历是温柔版的。在那之前，在那之后，我从没听说过还有谁是头等舱偷渡客。"查利说，许多次，他和我父亲笑成一团，我父亲的赴美之旅简直就是含着银汤匙一般的过程。艾瑞克的父亲宠爱自己的儿子，查利说，"他的父亲是个有钱人，他要什么就给什么。"但是，1945年，艾瑞克最想要的是内尔，杰克·威廉姆斯给就他的儿子买了头等舱非法奔赴纽约之旅。在纽约，艾瑞克将再次得到自己心之所想：他那有一半华人血统的美女，曾经弃他而去的美女。

船停靠在曼哈顿西面，我父亲知道，我母亲住的地方近在咫尺。他知道登岸是不被官方允许的，但是，他还是离开了船——口袋里只有几张钞票和一些硬币。他坐上地铁，向北驶向哈莱姆区，在第110街和莱诺克斯大道那站下车。等他完成十五分钟的旅程后，他突然意识到，自己的举止，那人生地不熟的样子，自己的相貌，都让他容易成为受到侵害的目标。等到他从地铁站的楼梯里走出来，他意识到自己处于非常不利的地位。

一个小偷偷了他仅有的那几张钞票，他把手伸进口袋里，只摸到几枚硬币。他十分沮丧，转而又意志坚定，他走进了园畔餐馆（Parkside Diner）——我小时候，这家餐馆还开着——找柜台服务员要了杯咖啡。一杯下肚，花了五分钱，柜台服务员问父亲，是不是来自牙买加，他注意到父亲说话的口音。原来，柜台服务员也是牙买加人，他当场就给了父亲一份工作，当洗碗工，第二天上班。当然，艾瑞克连忙答应了。

我的父亲壮了壮胆子，问自己的新朋友是不是认识一家姓霍尔尼斯的牙买加人，他们住在哈莱姆区。他当然认识这家人，这家人住在第126街直到第七大道几栋褐沙石房屋里。艾瑞克走了将近一英里，才找到休舅舅和罗丝小姨，敲了他们的门，迈出走向新生活的第一步——在哈莱姆区，和内尔·薇拉·罗在一起——这新生活创造了我们所有人。

他得到了自己的奖赏。

没错，他只在柜台问了一个问题，问对了人，然后，就找到了我的妈妈。这难道不是命中注定么？他说，为了她，他甘冒奇险；他说，为了找她，他违反了移民法；他说，他要娶她为妻。

她说，他在烦她，就这样。她不再跟他争吵，因为他一直烦她。她说，当时在牙买加，她真应该嫁给那个愿意娶她的华人。她说，她这辈子最大的错误就是结婚生子。

多年后，我自己也为人妻，她还是重复那个调调："他在烦我。"我看着她，说："妈，您不会真的以为我们相信您嫁给父亲是因为他在烦您，对不对？"我换了台词，不按剧本来演，破坏了平常你一言我一语的节奏。她看着我，眼神锐利，扁着嘴，呼出一口气，成了嘘声。此时，牙买加人的特点在她身上显现，牙买加女人不赞成，言语又难以形容，就用这个表情。然后，她就走开了。

1945 年 9 月 23 日，艾瑞克和内尔在哈莱姆区第 118 街 262 号西圣·托马斯阿波斯尔教堂举行婚礼。在结婚证上，内尔编了个名字"丹尼尔·詹姆斯"，当作自己父亲的名字。我在想，父亲姓名那栏如果空白，对她将是一种负担。艾瑞克也没有全说实话，填出生日期时，年份写错了。他属于非法入境，也许想在官方文件里留些不确定的因素。

梅维丝·霍尔尼斯是内尔的伴娘，她和我的母亲住在哈莱姆区的一栋褐沙石房屋里，她们的亲戚小姨罗丝和休舅舅有好几栋这样的房子。我父亲的住址就在街角，离他的教父康拉德·斯威特兰和妻子洛特的住处不远。他们在结婚证 23959 号正式签字，盖了章。在圣·托马斯阿波斯尔天主教堂举行的婚礼上，这对夫妇临场发挥，编了个家庭出来。内尔需要从原来效忠英国国教改成效忠罗马教廷，要向牧师保证，她会把孩子们抚养成天主教徒，就像他们的父亲一样。

于是，9 月的一天，康尼·斯威特兰，就是他，杰克·威廉姆斯雇了这个人，把自己的独生子藏在一艘船上，偷渡到纽约市；康尼的妻子洛特，后来成为小艾瑞克的教母，我们都叫她"娜娜"；小姨罗丝·霍尔尼斯和休·霍尔尼斯舅舅，这两位亲戚——一对兄妹——资助了内尔来美的费用；当然，还有内尔的表妹梅维丝·霍尔尼斯，一行人聚集到一起，亲眼见证这个婚礼，这婚礼是艾瑞克向内尔要求的。内尔一度说自己从来不想要谁当自己的丈夫，时常陷入绝望的情绪，时常又走出绝望的情绪。她跟自己的孩子们说，她希望孩子们"从未出生"。

　　很快，那个给她带来更加平静日子的男人，那个"在烦她"并且把她烦到婚姻里的男人，这样的记忆会被抹杀，取而代之的是随之而来的暴力行为。

君子之过也，如日月之食焉。过也，人皆见之；更也，人皆仰之。

——孔子

第三章
成长的风雅颂斯

婚姻现场

1947 年，纽约的十月，那肯定是灰暗的一天。艾瑞克回到家，阴沉着脸，问干净的工作服在哪里，他看到自己怀孕的妻子大着个肚子，也许有点负罪感。当然了，她会用那样的神情看着他，那样的神情说明了一切，那神情表示，你把那破衣服放哪儿，那衣服就还在哪儿；那神情是，你一整夜死哪儿去了，虽然她根本就知道。父亲夜里到处游荡，和别的女人厮混，有时候，会夜不归宿。他很生气，因为母亲没有帮他洗衣服，马上就到他的班了。母亲气坏了，她气的不是这个，而是为了更加明显的原因，她说道，他想要干净衣服，大可以找那个昨天晚上让他连家都不想回的女人要。

她怎么敢这样？他累了，也许还有点宿醉未醒，根本没有心情听她牙尖嘴利。

他打了她一巴掌，这简单的动作是为了显示谁说了算。于是，他们你来我往说了好多。接着，她一转身，走开了。

他们的公寓在阿姆斯特丹大道 2089 号。内尔沿着走廊走到厨房，打开一个抽屉，在里面找到一把生锈的小刀，她知道小刀就在那儿。艾瑞克正在壁橱里乱翻，她悄无声息地走近，在他背上捅了三刀，刺破了他的肺。父亲的表兄乔治就住在前面的公寓里，也是租的。乔治陪着艾瑞克走到第 163 街和埃奇克姆大道交汇的圣卡布瑞妮修女医院，这家医院就在我家拐角。几个小时后，两名警察找到我家，通知我的母亲，说她的丈夫被两个人扑倒刺伤，那两个人企图抢劫。

"谁告诉你的？"母亲问。

"你丈夫说的。"一个警察答道。

"啊，他撒谎。"她说，挺着自己的大肚子，似乎在强调一件事情。"我捅他，就因为他打我，要是他再打我，我还会捅他。"

1955年，我大约三岁，父母分开了。矛盾的简单版本就是，父亲坚持认为，是母亲向移民局举报了父亲，说父亲是非法移民；母亲则说，父亲神经病，举报人肯定是那个叫温的牙买加肥婆，父亲和她有一腿。温那么做，既有动机，也有渠道，她对移民局的运作十分熟悉。要是温因为种种原因生父亲的气，一个电话打给政府部门，那也是甜蜜的复仇。

整整十年，父亲就在移民局的眼皮底下活动，直到现在，运气才用完，真是令人惊讶。

艾瑞克·威廉姆斯坐船偷渡进入美国境内，在纽约市下船，就像之前的很多移民一样，来了，就不走了。用我哥哥的话说，父亲到美国"没带文件证据"。所以，他就用了另外一种牙买加百鬼不侵法——多重身份——于是，美国政府成了"恶鬼"，他需要保护自己。到美国来时，艾瑞克·威廉姆斯变成了蒙克里夫·鲍威尔，这个名字不是他用自己那丰富的想象力瞎编出来的。蒙克里夫·鲍威尔是他母亲萨拉的第一任丈夫，据说有时候住在古巴。萨拉和蒙克里夫没有子女，所以没有同名的人。

蒙克里夫·鲍威尔。

这是个有用的名字，有尊严，够高贵。

信件寄到我家，收信人是蒙克里夫·鲍威尔。蒙克里夫·鲍威尔有社会保险号，有工作，有三个孩子：艾瑞克、霍华德、葆拉，孩子都姓鲍威尔。至少，我们早期的生活是这个样子的。一年级时，我不知道这事；二年级时，我开始纳闷；三年级时，我觉得迷糊，开始觉得这个事很严重。我打开校长每年给家长的一封信，于是在学年开始时，要母亲为我讲个明白："葆拉·鲍威尔就是葆拉·威廉姆斯么？"在我的出生证明和医疗记录上写着"鲍威尔"，但是，我入学登记是用的是威廉姆斯，别人也叫我威廉姆斯。现在，我已经习惯这些了，于是，我站在校园护士的面前，等着她把要带给母亲的纸条递给我。我看了看纸条。"对，我是葆拉·鲍威尔。"我说，"但是，我真名是威廉姆斯。"每年都有这样一个澄清自己身份的仪式，结束时，我拿着要给内尔的纸条。

我们姑且说，移民局并不想原谅那些使用假身份的非法外国移民。父亲听说移民局的人在找他——社区里的人肯定得到警告，说政府工作人员来了，我们社区里的通信体系肯定会让国家安全局刮目相看——他确信，这事情从头到尾肯定是母亲搞的鬼。母亲反唇相讥，这么一来，事情对她没有丝毫好处。尽管她对父亲越来越厌恶，她为什么要让家里唯一赚钱的人被当局遣返？她完全没有理由这么做，但是，那个叫温的贱人就不好说了。一场大战在所难免。父亲坐在床边系鞋带，母亲脚步轻得像一只猫，从背后慢慢接近，手里拿着菜刀。

然后，她捅了他，就像几年前一样。

父亲刚刚从医院回来，一边一个医护人员，移民局的工作人员就拘捕了我的父亲。他在医护人员的陪同下进家门，在移民局工作人员的陪同下走出家门。两年之内，我们再也没有见过父亲。

父亲和母亲生活在一起时，打架是常事。我当时年纪太小，根本记不清楚。但是，哥哥艾瑞克记得，我们三个坐在客厅的椅子上看着父亲打母亲，就像瘫坐在廉价剧场里看戏。霍华德说，他以后想当警察，然后就可以把父亲抓起来了。母亲大部分时间一条腿用劲儿，也不能站太久，因为一处伤口引发了血栓症。母亲说，有一次打架打得厉害，父亲踢了她，对腿部的血管造成了永久性伤害。父亲坚持说自己没有。

父亲和母亲，他们实在情不自禁。他们都是私生子，都极其有主见，都不肯让对方进入自己心里——除了在打架时彼此亲近。

成长的威廉姆斯

艾瑞克是家里的第一个孩子，出生于 1947 年。后来，霍华德出生，夏天诞生，出生于 1950 年。我则出生于两年之后的 1952 年 8 月。第 163 街和第 164 街之间那段阿姆斯特丹大道，我和哥哥们生于斯，长于斯。

20 世纪五六十年代，正是我们成长的时候，我们自己组成特别俱乐部。我们一起去哈得逊河钓鱼，一起乘地铁，一起骑自行车——我经常坐在艾瑞克自行车的横梁上——往北走，去布朗克斯和冯科特兰公园。我们到了目的地，又会在绿色植物里迷路。我们彼此照顾，彼此保护。更具体地说，我们为彼此负责，哥哥们对我负有更大的责任，我是妹妹。

母亲不知道我们"英雄事迹"中比较冒险的细节。有时候，我们横穿西城铁轨，加着小心——这是从我们那些"特别"朋友那儿学到——不碰第三条铁轨，那样会被电死。有一次，我们钻进满是"危险"和"警告"牌子的破铁丝网，我的上衣被钩住了，被突出来的铁丝弄破了。几个小时后，我们回到家，母亲问："葆拉，你的衣服怎么弄的？"

"哦，我们钻栅栏横穿铁轨时扯破的。"

像所有母亲一样，内尔一下子变成了那种状态，说的话，完全听不清楚。她尖叫起来，语速很快，貌似很生气，话里提到艾瑞克和霍华德的名字。她用一条结实的粗皮带把我们三个打了一顿，我们坐在一起啜泣，保证再也不敢做那么危险的事情了。母亲生气，我受得了；但是，我一讲实话，却亵渎了我们三个之间神圣的关系。一生只有这么一次，我和哥哥们之间的关系不那么牢固。哥哥们实在难以相信,我居然告诉了母亲,但是,撒谎我又不会。我当时六岁,跟哥哥们在大街上奔跑,非常骄傲,能和母亲分享"英雄事迹",心里很高兴。

那一天,我明白了,不能把特别好玩的事情告诉母亲。之后,我就知道了,在五楼屋顶,我们从这栋楼跳到那栋楼,这事不能告诉母亲;离我们住的公寓隔几个街区,就是横跨哈得逊河的人行天桥,那里,我们也曾经走过,这事绝不能说。我从未告诉母亲,我们翻过栅栏,走过高桥,知道哪里砖块少了,哪里扶手、铁轨坏了,我们在布朗克斯的那块地方游荡,大约一个小时后折回,沿着原路走回我们的街区。

我们学会了独立,我们练就诡计,我们掌握了骂人和打架的窍门。那一天的经历让我明白,那些让人兴奋的事儿,还是别跟妈妈说了。艾瑞克和霍华德皱着眉头看着我,威胁说会把我丢在家里,我再也不会犯那样的错误了。

母亲让我们知道,作为个体,我们很重要;对她而言,对父亲而言,对彼此而言,我们也是世界上最宝贵的。她常常跟我们说,家里穷,这是环境所致,这种境况到了我们这一代要结束。因为我们不仅会事业有成,在物质方面,也会极为富有。她明白,有时候,事业有成——比如,成为一名伟大的教师,或者成为一名人道主义医生——并不意味着有物质奖励。对别人来说,那挺好的,也相当不错;但是,在母亲看来,对我们来说,不可以。

我们在天主教教会学校上学,勤奋用功,母亲不允许我们在任何方面失败。"你们会很有钱。"她告诉我们。她所忍受的苦难,她所做出的牺牲,我们有责任来补偿。

内尔是我们生活中影响力最大的那个人,她是那种"战死方休"的人。我六七岁的时候,她让我牢记街区的生存法则,如果那不是整个生活的生存法则的话。"你要是跟别人打架，不到那个人站不起来，不许走。"
她说，"你一转身，就背对着你的对手，你的对手就能站起来，然后打你。"
在她看来，这一课不是理论探讨，也不是夸张。

我们上的是圣罗丝利马天主教教会学校，就在我家房子街角对面。
大约九岁时，有一天，我和另外一个小姑娘放学回家，走在第164街上。
一个十二岁的小男孩，名叫莱昂内尔，长着一个大脑袋，态度恶劣。我
们经过时，他正站在前门台阶上。我没招惹他——天知道那个小子脑袋
里想什么了——他冲我吐口水。我震惊了，相当愤怒，几乎歇斯底里，
我转身说："你冲我吐口水！"

他大笑起来。"对啊，我吐了"。然后，他接着笑。

我觉得很恶心，也非常生气，我转回身。我的小伙伴回家去了，我
哭着回家，怒气冲天。母亲在家——母亲总是在家——两个哥哥也在家。
母亲看出我不高兴，问怎么了。我一边抽泣着，很生气，一边跟她说。
母亲的脸上有一种冷漠的表情，问道："你怎么对付他的？"

我十分惊诧，那个小子比我大三岁，最少比我重三十磅。"我怎么
对付他的？"

母亲劈头盖脸给我一巴掌。"你是说，你让那个男孩吐了口水，你还
在这儿待着？你没有对付他？"在这一刻，我哭，不再是因为莱昂内尔
冲我吐口水；我哭，是因为我实在不敢相信，母亲居然打了我一巴掌。
她让我出去，回到那个街角，"不把那个小流氓打得屁滚尿流，你别回来，
你别回到这家来！"

我的两个哥哥就藏在母亲身后，一个十一岁，一个十四岁。他们在
母亲的视野之外，用手比画，让我出门，用手势告诉我，他们也会到场。
我从前门走出来——我和母亲住在一间卧室，哥哥们从卧室的窗户爬出
来，沿着后面的消防通道下来，和我在外面汇合。哥哥们说："来吧。"

寻找罗定朝
从哈莱姆、牙买加到中国

我和哥哥们像突击队员一样，大踏步走到街角，莱昂内尔还在前门台阶那儿待着。哥哥们走上前去，大声咆哮，问他有没有冲他们的妹妹吐口水。莱昂内尔原本气势汹汹，现在没了脾气。

"啊，嗯，我是闹着玩儿。"

艾瑞克向前走了一步，这个十四岁的男孩儿很吓人。"你给我站在这儿，她会把你打得屁滚尿流。"他说，"你给我在这儿站着，什么都得忍着。"

至于另一套方案，莱昂内尔也没有什么说话的余地。

我开始出手，打在他的脸上，踢他的要害，痛打他。他只能站在那儿，退缩着。每一次，只要他一退缩，艾瑞克和霍华德就会冲他大叫："把手放下来！"我一直打，直到打累了。他对我的羞辱，让我感到不解和愤怒，于是，平添力气。打完了，我们转身回家，哥哥们原路返回，爬上消防通道，从窗户钻进去。我从前门进去，母亲站在那里，等着我。我的衣服乱七八糟，眼泪已经干了，拳头红红的。

"你把他揍了一顿？"

"对。"

"到浴缸里去。"她柔声说。她给我洗了澡，做了晚饭。

母亲的生存之道，既有实际意义，又立竿见影，于是，我懂了。"你回到这房子里来，让我知道，有个小屁孩儿打了你，或者欺负你，这样的事，决不允许。死也不能让这样的事发生"。

我们后来发现，这生存之道可以推论一下，要是有人胆敢伤害我们其中任何一个人，母亲会宰了他。

这就是母亲表达爱的方式。

内尔小调夜曲

让我来向你展示我们在阿姆斯特丹大道上的公寓吧。

我生命的前 13 年，就是在这里度过的。时至今日，闭上眼睛，我还能看到公寓里的一切细节：墙上的每一道裂缝，沙发上的每一个坑洼，厨房里的每一个抽屉、每一个架子、每一个用具。爸爸住在这里的时间不长，我对此没有什么印象，但是，哥哥们却记得非常清楚。阿姆斯特丹大道上的这套公寓是母亲的地盘，不管有多少住客曾经短暂停留，我和哥哥们从来对此毫不怀疑。这套公寓虽说简陋，却总是干净整洁，内尔把家里收拾得井井有条，似乎为了向世人展示。虽然她不能把家庭内部关系整理得如此清楚，更别提她和父亲的关系。

走上一级台阶，再走上两级台阶，就能看到白色大理石铺就的走廊，还有两间公寓的前门。我们住在底层一套饼干形状的公寓里，这个街区里到处都是这样的公寓。五层楼，分成十八套公寓，底层有两套公寓，我们就住在其中一套里。左边的 A2 号公寓是我们住的，A1 号公寓是梅尔文和拉弗内·琼斯的。我们有一间卧室、一间浴室、一个厨房，然后，客厅和另外一间卧室，我和母亲住在其中一间。就在这些房间里，我们和母亲一起睡觉、学习、吃饭、吵架、玩耍、争论、聊天、默默地坐在一起。

我的父母从来没有同住在一个房间里，父亲的房间在公寓前的一间小卧室。父亲搬出去以后，一个名叫艾丽斯的女人搬进来，租下了那个

纽约市阿姆斯特丹大道，20世纪50年代。我们在哈莱姆区的家中，内尔坐在客厅里。貌美如花，又若有所思，这是我对母亲最深的记忆

地方，让人记得最深的是，她有电话——我们没有——但是，她的电话总是锁着。艾丽斯搬出去后，乔治搬进来，租下了这个房间。那些年，艾瑞克和霍华德睡在客厅那张小折叠沙发上。艾瑞克大约十二岁时，搬进了父亲以前住的那间空屋子，霍华德继续睡在沙发上。

　　客厅是我家的中心，字面上如此，感情上亦如此。客厅里有一个沙发，一台黑白电视机，一个扶手椅，一张咖啡桌。咖啡桌上镶嵌有褐色皮革，边上是金色叶状线条。还有一个同款边桌，墙面通常涂成黄白色、嫩绿色或者浅蓝色。内尔喜欢颜色柔和的墙面，从不喜欢太过鲜明的颜色。客厅的一面墙上总是有一幅油画，镶在一个大画框里，由丝线绳悬着。另一面墙上挂着中国丝质屏风，竹板支撑，可以卷成整齐的一捆。有时候，那里会有过时的风景挂历，或者漂亮的钢笔画，让我们的母亲想着中国，

康拉德·斯威特兰和洛特·斯威特兰在哈莱姆区的家——第112街和圣尼古拉斯大道（St. Nicholas）交汇处。那时，霍华德五岁，我三岁，去拜访艾瑞克的教父和教母。父亲与康尼和他妻子娜娜是挚友，康尼和娜娜非常关心我们，视我们如己出

那是母亲从未见过的地方，却又总觉得牵挂。

客厅也是我家公寓的主干道，从前门走到后面，走到卧室或者厨房，或者再回到前门，我们必须通过客厅。艾瑞克搬进父亲的卧室后，霍华德自己睡在客厅的沙发里，不管发生了什么，他似乎都能睡着。这样太幸运了，家里的其他人都有早起的习惯，霍华德能睡得和死猪一样，直到中午。

一天中有两个时间段，母亲归我一个人：睡觉时，还有早晨四点到五点。我和母亲住在一个房间，睡在一张床上，她的房间就是我的房间，她的床就是我的床。我会向右侧身睡，把腿放在熟睡的母亲身上，慢慢地又睡着了。说实话，我四点醒来之前，内尔早就起床了。她很少和我同一时间入睡，于是，在那屈指可数的几个小时里，她进屋睡在床上，我会蜷缩进她温暖的怀抱，把腿搭在她身上。我记得儿时睡在母亲的怀

抱里，但是，很奇怪，当我们醒着的时候，母亲几乎从未抱过我。

等我醒来，我时常发现，母亲坐在厨房的小餐桌旁，小口喝着立顿茶。她会把茶包和搅动茶的汤勺放在杯子里，加上开水、糖、罐装浓缩牛奶。沏好茶，母亲会把茶包放进嘴里吮吸余味。

我醒过来，轻轻走到厨房，母亲坐在餐桌旁，餐桌旁还有三把椅子。母亲微笑着，为我准备早餐牛奶，要放在我的特别杯子里：热牛奶，可能是浓缩的，也可能是罐装的，放上水，一小块奶油，一勺糖。天啊！我家的餐具向来都是不配套的，纯银餐具也不例外。过去，母亲曾经收集过漂亮的餐具，但是，剩下的只是希望和梦想的碎片。从这些剩余的物件里，我有了"我的"杯子、叉子、勺子和盘子。

等到我在厨房见到母亲，想要享受黎明前的宁静时刻，母亲已经把哥哥们的校服衬衫和我的上衣从冰箱里拿出来。前一天，她把这些衣服用洗衣板手洗了，用衣架撑起来，晾在浴缸上方。然后，她在衣服上洒

我六岁，霍华德八岁，在我们在哈莱姆区公寓的厨房里，正准备出发去圣罗丝利马天主教会学校。艾瑞克作为我们的大哥，聪明绝顶，为威廉姆斯家的孩子奠定了智慧超群的名声——还有，我们有一位保护欲极强的母亲，像母狮子一样

1958年，我们在圣罗丝利马天主教教会学校上学，学校位于第164街和圣尼古拉斯大道交汇处。这是我一年级的照片，拍照时，我得了流行性腮腺炎，之后，大约休了一个星期的病假

水，紧紧卷起来，放进塑料袋，放在冰箱最低的架子上几个小时。之后，衣服才可以拿到熨衣板上熨烫。每天早晨，威廉姆斯家的孩子就这样出现在圣罗丝利马天主教教会学校：白衬衣白得耀眼，熨得笔挺。

　　天亮前那几个小时，到上学前，我和母亲分外亲近。我会小口喝着热牛奶，看着母亲把哥哥们的衬衣和我的上衣熨烫好，整理校服裤子、领带或无袖连衣裙。妈妈会利用这个时间教我熨衣服、做菜和缝纫——这些技艺，我都需要会。"你要知道这些活儿该怎么干。"她说，"这样，你就能吃上好饭好菜，能穿得体面，能住上干净的房子。但是，等你长大了，你要雇别人来替你做这些事。你明白么？你会有干净的浴室，你会有干净的马桶，但是，你不会花时间把这些地方弄干净。赚够钱，会有人帮你做这些苦差事。不要你自己动手！"

　　这就是内尔对独生女儿的期待——不是丈夫，不是婚姻，不是孩子。

她最坚定的信念，她最重要的目标，就是我不会过她那样的日子。

内尔的女儿将会成为教授、律师或者商人。要是我跟她说我想当律师，她肯定会把我的舌头扯断，有时候，她真威胁要这样做。"律师都是撒谎的人，人们就该这么称呼他们。"她说，"律师拿别人的钱，替别人撒谎，我才不让自己的女儿从事这么不光彩的职业。"讨论结束。她的女儿绝不会走上那样一条路。到底是什么让她对律师这么厌烦，我不得而知，但是，在内尔看来，自己的任何一个孩子都不可以把律师当作职业选择。

清晨那几个小时也是交心的时刻，母亲不像白天那样戒备。她告诉我，她的中间名薇拉，其实来自她的教母。一位古巴女性，名叫薇拉，是她最好的朋友。一天早晨，她跟我说起十二岁那年被强暴的事情。她揭开旧事，只是为了告诉我，男生和男人是多么不可信，多么野蛮，也是跟我分享她生命中的一个层面。这一层，她不能跟别人讲。

另一个早晨，她跟我说，她的外祖母经常叫她"有一半华人血统的混蛋"。经常出现在那几个小时的主题是，她从没有父爱，与母亲从没有联系。有时候，她觉得特别沮丧，会说自己不该生孩子——或者说自己应该嫁给"那个想娶我的华人，而不是你们的父亲"。

家里的其他人一个个醒过来。我会听到艾瑞克房间里传出音乐声，上学之前，他会学习，也会读书。最后，霍华德也醒过来，收拾收拾，准备去上学，这对他来说，实在是一种折磨。我和母亲独处和交心的时刻结束了。

直到第二天早晨。

哈莱姆区，1959年。我的第一次圣餐仪式，是和父亲一起参加的，仪式在圣罗丝利马天主教教会学校举行

找到我自己的空间

　　我十岁了，哈莱姆区，那是个炎热而又宁静的夏天。 我倒不是真有什么计划，只是想尽早出门。吃过早饭——母亲坚持把"早饭"这个词拆成两个部分（注：英文中，早饭可以拆成动词"打破"和名词"禁食"两个部分）——我从公寓里逃了出去。"出去玩。"我这么告诉母亲。但是，我出去不是为了玩，我出去是为了冥想，要更新自己，要想想这个世界，要自己单独待会儿。

　　我开始向北走，到达埃奇克姆大道和第 166 街，我的目的地是埃奇克姆公园树林里我最喜欢的一块岩石。这个公园虽说不比中央公园那般面积大，也是向四周伸展的，里面有棒球场、室外地滚球场、篮球场、自行车道、树林、可供攀爬的岩石，还有一座喷泉，让公园显得格外庄严。那特别的岩石十分巨大，表面平整有条纹，盛夏时分，摸上去温热，因为被阳光晒了大半天。

　　我一个人，居然一个人走进树林，母亲知道准会发飙，但是，我喜欢独处，喜欢这独立的感觉，就在我的岩石上，就在我的私人领地。我就像一个东方神祇，盘着腿，紧闭双眼，面朝天空。闭上眼，我看到的颜色是红色，我十分放松。这是我的隐居之处，任何时间都可以来——眼皮后面的世界——但是，只有当我身处类似那块岩石之类的地方时，阳光的温暖才能把眼睛后面的世界变成温暖的血红色。

　　接着，我开始做白日梦，想着自己的华人外祖父。我在想，他在哪儿。

有时候，我想象着，如果我集中所有心理能量和感情能量，召唤他出现在我面前。我就可以跟他说话，问他去哪儿了，为什么从未给过我们一点暗示，表示他对我们有兴趣或者要关心我们，他为什么消失，还有——最重要的——他为什么遗弃了我的母亲，没有留下他曾经存在的丝毫证据。

我经常坐在岩石上，安安静静，与世隔绝。为了到达那种境界，我只需要向北走几个街区而已。相比之下，母亲就算在哈莱姆区最为忙碌的街道也总会显得孤单，总是与别人没有关系。在阿姆斯特丹大道，母亲没有真正的朋友，也没有丈夫爱她，没有母亲开导她。要想过更好的生活，她只能把希望寄托到我们三个身上。

我会想到纽约市里的其他家人。母亲年长的表亲，小姨罗丝和休舅舅，是牙买加人，属于一个业已过去却十分古怪的年代。他们早年移居哈莱姆区，母亲到这儿时，他们给了母亲第一个家。即使在八月的热天里，休舅舅仍戴着一顶浅顶软呢男帽，羊毛质地，十分破旧，帽边都破了。小姨罗丝穿着厚厚的肉色丝袜，卷到小腿，打个小结，固定在裙子下边一点儿。他们穿着室内鞋，破得不能再破，旧得不能再旧的，在黑暗的褐沙石房屋里走来走去。他们穿的衣服，样式来自古老的过去，很干净，经过洗衣板的多次搓洗，已经褪色走形。地板上的油毡已经褪色，被踩旧了，有多处裂缝，下面覆盖在地板上的织物冒了出来，颜色古怪。上一次有人看过下面真正的地板，那是多少年前？

拜访小姨罗丝和休舅舅时，我们都打扮好，大人叫我们乖乖听话。但是，我想着，母亲和我是从这里来的么？这两位严肃的老人家就是所谓"有家人"的意思么？

小姨罗丝和休舅舅家，我并不想去。在我的岩石上，我会更开心，想着那些秘密，外祖父的生平，还有母亲的华人背景。破旧的浅顶软呢男帽，肉色丝袜，这我都知道，在哈莱姆区我被它们包围了。中国却迥然不同，中国是个神秘而又遥远的所在——那个地方有丝绸、有茶叶、有共产党人、有革命、有美味食物，有一种听起来像鸟叫的语言，有那可以引起共鸣的画作，画上的男人们穿着外衣，看起来特别像裙子。

"他回中国，死了。"这个句子的每个部分都那么发人深思，我需要离开，走到我的岩石，闭上双眼，看到那些颜色，试图想明白。

接着，我心头一惊，回过神来。太阳高照，分外炎热。母亲会想我到底在哪儿，可能快到午饭时间了。我的思绪飘向家里，飘向艾瑞克和霍华德，在那个夏日午后，他们也许会带我出去钓鱼。

脐 带

可以预见，我和两个哥哥会成为内尔生活的全部。我们才是真正完全属于她的人，不管我们游荡到哪里，不管我们和谁在一起，这一点从未改变。我甚至想说，内尔从未剪断那脐带。

当然，这个比喻大家都比较熟悉，但是，在我们家里，这不仅仅是个比喻而已。有时候母亲会打开那个深棕色皮质盒子，里面装的都是纪念品。那是个长方形的包，带着硬边，金色调搭扣，有艺术装饰。我很享受这样的时刻，我们一家人坐在床上，母亲会把盒子拿出来，打开搭扣，

寻找罗定朝
从哈莱姆、牙买加到中国

纽约市哥伦布广场(Columbus Circle)，大约在1966年，我和内尔、艾瑞克。那年夏天，艾瑞克刚刚读完大学一年级，我刚刚进入高中，我们难得一起和母亲去曼哈顿中心。母亲大多数时间待在公寓里，或者坐在我们住处的台阶上

取出一个只有几平方英寸的马尼拉纸质信封。接着，母亲会打开一个白色棉球，里面装着一团物质，干燥粗糙，呈深紫色。我看着这皱巴巴的东西，它黏在棉球上，我觉得这茄子皮一样颜色的东西，看起来特别像牛肉干。

"妈妈，那是什么？"我第一次问，我被这怪异的东西迷住了，这东西被如此小心地收藏起来，放在这样一个特别的地方，这地方是母亲留着收藏最珍贵东西的。

"这，"母亲不无骄傲地说，"这是你的脐带。你还在我的肚子里的时候，我就用这个来喂饱你，直到你出生那天。"

"你为什么留着这东西？"我问道，依旧感到迷惑，但是，现在有点不喜欢这奇怪的珍宝。这是每位母亲都会留着的东西么？对这一点，我表示怀疑。别人母亲绝不会想到要做的事，母亲总是会做。就算她是母亲，这也显得非常奇怪。

"终有一天，"她说，"我会把它埋在某处房产上的一棵树下，那房产会在我的名下，你们几个会买给我。"我们想，那一定是亲水住宅，花园里繁花似锦。

脐带把我们和母亲联结在一起，母亲之所以保留着脐带，可能有多种原因——比如，牙买加接生婆的传统做法是把脐带埋起来——但是，我确定，母亲有自己的特别原因。我们几个是她的亲生子女，那些干燥的人体组织就是超越所有疑问的证据，根本不需要再问什么问题。艾瑞克、霍华德和我并不是私生子，我们没有未经登记的出生证明，我们知道自己的父母是艾瑞克和内尔。也许，我们和内尔长得不太相像，但是，那没有关系。母亲是我们的个人文件储藏室：她有我们的出生证明，有我们的洗礼证明，有她自己的结婚证，有她的公民通则，有我们的脐带，有她的护照——所有这一切，都收在她那纪念品盒子里。

母亲加入美国的资料

　　1953 年，父亲被遣返回牙买加，母亲开始了另一个过程，提交各种文件，试图把父亲弄回家。父亲把透明薄纸航空信件从牙买加寄到阿姆斯特丹大道 2089 号。这一系列信件，他都是在他的母亲萨拉家里写的，他恳求内尔："你要是成了美国公民，那么我就可以回来，与你和孩子们一起生活。"父亲被遣返时，我刚满一岁，等父亲回来的时候，我已经三岁了。母亲寻思着：家里是不是历史重演了？她的女儿长大，一直没有父亲照顾，她也负有部分责任，是不是有什么被诅咒的轮回？这种讽刺，想想就觉得太让人痛心。

　　于是，内尔到天主教慈善会求助。她从小到大作为英国国教徒长大，艾瑞克只能当天主教徒。母亲皈依天主教，发誓要把他们夫妻二人的孩子当成天主教教徒养大。向天主教慈善会提出申诉，也是父亲灵机一动。父亲觉得，在此类情况下，哈莱姆区的天主教慈善会非常有用，可以建议内尔如何把他弄回来，这一次，要有"文件证明的好处"。社工听着艾瑞克的案例，表示同情，也许她已经听过成百上千次类似的故事。她说，内尔首先你自己要成为美国公民。

天主教慈善会帮助内尔提交了必要的文书，内尔自己提供了证人。一个证人就是我们大楼里的管理员，他——和他的妻子——对我们就像家人一样。另外一个证人是父亲的朋友，他有一份稳定的好工作。证人签署了相关文件，证明内尔行为端正，人品一流，具有美国公民的资质。1955 年 6 月 6 日，诺曼底登陆十一周年纪念，在纽约南部地区法院，内尔被授予美国公民资格。不久之后，父亲以合法身份回到纽约，回到家人身边。

父亲和母亲在一起的时间并不长，几个月时间，打架不断，他们之间的疏离成了永久性的。我三岁的时候，父亲离开了母亲、两个哥哥和我，搬出去了，这一次是永远地搬出去了。

监护权事宜

我们的父亲从牙买加的放逐之旅归来，不久又搬出了我们的公寓，父母正式离婚是许多年之后的事情了。监护权之争接踵而至，母亲明确指出，父亲是爱我们的。"你们知道，父亲想要你们。"她会这么说，这是一种对父亲的赞美——虽说罕见——也是对我们价值的肯定。在我们家里，价值是个重大主题。母亲想让成长中的我们知道，我们缺乏物质生活的优越，这并不能反映出我们的内在价值。通过强调我们的价值——我觉得，特别是我的价值，因为我是家里的独生女——她时常提醒我的两个哥哥，除非他们找揍，一定要照顾好自己的妹妹，还要彼此照顾。

然而，任何来自破碎家庭的孩子都可能知道，此种爱的表达来自双亲，却不一定会让孩子的生活舒适或者舒心。就我家而言，争夺孩子们的监护权，让原本就已经千疮百孔的父母婚姻关系更是矛盾升级，更加紧张。至于我们的选择，艾瑞克、霍华德和我，没有人问起我们。我们爱父亲，但是，母亲在哈莱姆区简陋的公寓才是家。

父亲下定决心，要给我们建立一个新家，和他生活在一起，于是，他买下了皇后区春田花园的一栋房子。那个街区要从哈莱姆区乘坐75分钟的地铁才能到，但是，那个地方和我们熟知的地方共同点实在太少，那儿简直就是异国他乡。在那里，我们没有朋友，我们跟那个地方没有丝毫联系。春田花园的住户大多数是白人。我们去那儿，有时候会碰到父亲的新伴侣之一，人已经住在那里，也许还带着自己的孩子。父亲的这些伴侣对我们的态度从仅仅不喜欢到极其蔑视；我们也是这样的感觉，但也无计可施。

最后，监护权的事情还是闹到了法庭，我们被叫到法官的办公室里。我大约六岁，家庭法院的法官认为，这个时候，以父亲般的态度，让小姑娘坐到自己腿上，和小姑娘谈谈她家的情况，这也无伤大雅。那个时候，这样的举动是为了制造一种氛围，安全、坦率、信任。

两个哥哥看着，又不敢相信，又惊喜。我习惯得到特别待遇，哥哥们已经习惯了看着我得到特别待遇；但是，看着自己的妹妹坐在法官的腿上——法官是个白人，身着黑袍，似乎法官就是圣诞老人。这个场景，哥哥们万万没想到，虽然哥哥们意识到我的地位提高了。我们聊了一下，具体聊什么，我已经想不起来了，然后法官就说到正题了。"好孩子，你知道，你的爸爸妈妈真的希望你和你的哥哥们和他们住在一起。"他说，"但是，当然啦，你不能同时出现在两个地方。"

我点点头，看着哥哥们，哥哥们就站在我和法官旁边。法官明白问题在哪儿。

我们在父亲家过的周末，在来法院的路上，父亲要我们做好准备。"要是法官问你们想住在哪里，你们要跟法官说，你们想和我住在一起。"父亲坚定地说，"知道要说什么了么？"我们点点头，没有说话，但是，我心里的声音在大喊："我才不要和你住，我才不要和你住，我要和妈妈回家！"眼泪夺眶而出，我也看到，哥哥们坚强地略眯双眼，泪珠慢慢出现。

所有的这一切，让我来到这关键时刻，坐在白人法官的腿上，听法官问我那个问题，我们的父亲让我们那样回答：我们想和他住在皇后区春田花园，不想和妈住在哈莱姆区的家里。

法官继续说："你们去哪里，我可以做决定。但是，做那样的决定，我真的需要你帮点忙。你想去哪儿住？"

我看了哥哥们一眼，我们都知道，我们想住在哪里；我们都知道，我不会撒谎。爸爸可能不知道，说善意的谎言，圆滑，讨好权威人物，这能力我还没有掌握。哥哥们知道。我们三个确定——比任何事都确定——我会说我想的，我知道的，我们三个人都想要的。

"我们要和母亲一起住。"我说，"我们想住在哈莱姆区，不想住在皇后区。父亲告诉我们，要和你说，我们想和他一起生活，但是，我们不想。我们恨那个地方，我们只想回到妈妈身边。"哥哥们冲我微微一笑，我们是三人组，集合在一起。那种方式，甚至今天有时候都无法解释。生活是场战争，我们是一股士兵，我们团结一致。

我看着法官，法官冲我温柔点点头，我觉得，这对他来说并不是令人惊讶的事。"那好，"他说，"我看看能怎么办。"

那一天，我们坐车从皇后区广场回到曼哈顿，又回到哈莱姆区的家中，回到内尔的关爱里。父亲败下阵来，怒不可遏，再见到父亲，是几个月以后了。

成长的威廉姆斯

有一次，哥哥艾瑞克和一个叫弗里兹的小孩打架，至于这是不是个真名，或者我记得对不对，我就不得而知了。弗里兹家里人多，住在离我们几个街区的地方。他和艾瑞克一起打篮球，一来二去，打起架来。哥哥打赢了，临走时，拣起弗里兹留下的一双运动鞋，把鞋子拿回家。哥哥并不打算穿这双鞋，这双鞋只是战争的纪念品。

接着，当地市镇上传公告的人——一个孩子，无论大事小情，让大家都知道——跑到我们家公寓，告诉我们，弗里兹和他的父亲、哥哥们正往公寓楼赶来，想要回他的运动鞋。

"人往这儿来了？"母亲问。对她来说，这已经够了，这样的时刻激发了她所有的生存本能。成长的过程中，她没有父亲，要是只因为父亲不在身边，就让自己的孩子觉得没人保护，那就太不应该了。她会是家里的男人，更棒的是，她是母狮子。

首先，她需要武装自己的队伍。她抄起那锋利无比的切肉刀。那刀，她几乎每天都用一块正方形的磨刀石来打磨。家里的刀子和剪刀从来没有钝过。内尔曾经用利器对付过自己的丈夫——两次——对付陌生人，就容易多了。她从刀架上拿起切肉刀后，指挥艾瑞克去拿自己的棒球棒，让霍华德去找那副旧手铐，旧手铐可以追溯到第一次世界大战，重达七磅。手铐以前归艾瑞克的教父康拉德·斯威特兰所有，他把手铐送给了自己的教子。在这样一个场合，手铐又有了战争用途，并非作为手铐，而是当作一种武器，基本可以与中世纪的冷兵器媲美；拿着一端，在头上方挥舞手铐，能把任何人打晕过去。我们家还有一只猫，名叫弗里斯基，通常情况下，猫很温顺，要是被扔出去，就会炸毛，会把爪子抓进附近的人皮肉或其他东西里。"把弗里斯基拿过来。"母亲命令道。弗里斯基会是我的武器。

武装完毕，我们走出公寓，来到前门台阶上。母亲站在那里，倚着墙——她经常这样做，但是，现在她手里拿着切肉刀，刀藏在身后。我觉得，自己和弗里斯基属于这个战无不胜的队伍。敌人走近了：对方的父亲体型健硕，四个儿子跟在身边。邻居都来围观，他们知道母亲和我们三个孩子都不是什么省油的灯。

对方父亲往前走了一步，无视内尔的存在，指着艾瑞克，问自己的儿子："就是这小子？"他的儿子点点头。他往前走，想要开始教训这个小子，在他看来不过是无人保护的小废物。但是，他话还没有说出口，我的母亲一把抓住他的衬衣，用切肉刀抵住他的颈静脉血管，很轻，注意不割破他的皮肤。

目前还不会。

"你为什么来这儿？"她问。"你想干吗？"

那个男人的气势和威胁，都消失了，形势陡转。这要感谢一个女人，她有一半华人血统，体重120磅，手里拿着切肉刀，有那样一种姿态。

"我来拿我儿子的运动鞋。"男人轻声说。

"当然不是，不会是这样。"她说，用下巴指着他的其他儿子。"你不是来拿运动鞋的，你来这儿，因为你想把我儿子臭揍一顿。"

很长时间没有说话。那个男人站在那里，一动不动，眼泪开始涌出眼眶，不敢大声喘气。

"我宰了你，就你站这儿。"

每个人都知道，不能轻举妄动。

"现在，我放你走，告诉你儿子们赶紧回去。"

几个儿子回去了。

"艾瑞克，把鞋还给他。"

艾瑞克把鞋子扔给弗里兹。

"现在，我要你知道。"母亲说，"你不住这儿周围，你不住在这街区，别再接近我家房子。我儿子不会跟你儿子玩，你儿子也不会跟我儿子玩，不会再打架。但是，别再来这个地方了。"

说完，内尔·薇拉·罗·威廉姆斯基本上把那个男人推了出去，她就站在那儿，手里拿着切肉刀。弗里兹的父亲后悔了，不是受了一点儿屈辱而已，转过身，和几个儿子一起离开了。

附近邻居站在那里，不出声，对内尔女士，既有赞许，也有害怕。逐渐地，几个十几岁的孩子接着玩棍球游戏；三个女孩拿出跳绳，开始玩双摇绳；一位母亲走上台阶，回到自己的公寓；几个小孩子开始往附近的一家商店走去。就像大卫打败哥利亚巨人一样，内尔挫败了那个高个子父亲，邻居们被这一壮举打断，现在他们正慢慢地回到之前正在做的事情。

要是真出了什么事，要是母亲没有护着我们，要是那个男人占了上风，那么，我们三个将成为附近地区的软柿子，每个人都会来捏一捏，对于威廉姆斯家的孩子来说，那就成了渔猎开放季。在母亲看来，围观的看客和接下来的表演一样重要，每个人都在场，都能看到她的行动，她很高兴。"我要让你和站在这里的所有人看看。"她的行动有这样的台词，"你要是胆敢来欺负我家孩子，我宰了你丫的，就你站那儿。"

父亲伤了我的心，我要伤父亲的心

我和哥哥们确定，我们不会再和父亲住在那个像西伯利亚的远地方，父亲就从我们的生活中消失了一阵子。我们会恢复联系，父亲会行使法院判定的探视权。周末时，有时候我们会待在皇后区春田花园；夏天来了，我们会整个星期宅在屋子里不出来。

父亲怒不可遏，就因为我们不肯和他一起永远住在那栋房子里，他说，那房子是专为我们买的。皇后区的那个街区，基本上住的都是白人，我们不想被放逐到那里，我们在那里一个朋友都没有。我们更不喜欢爸爸的同居女友艾丽斯小姐，还有她那讨厌的儿子帕特——有一次，几秒钟的时间，就来猥亵我，我只能把他推开。

另外，那两个人也不喜欢我们。

时光荏苒，我们都从初中毕业，我从蓝格子校服换成斯佩尔曼主教高中的海军蓝校服。我们虽然有时候会和父亲待在一起，但是我们生活的中心是母亲。然而，我刚要满十三岁的时候，我发现，祖母萨拉和父亲在春田花园生活了差不多整个夏天。我从来没有见过自己的祖母和外祖母，对于一个有着强烈家庭观念的十二岁女孩来说，这真是致命一击。

当我从乔治那里得知萨拉来访，我给父亲发了封信，那是我这辈子写过的最刻薄的一封信，对父亲的怒气，对父亲的失望，所有的一切，一股脑全都倾注笔端。他怎么可以让我们不认自己的长辈？他怎么可以把一位家庭成员带到这个国家，却又不肯放下骄傲，把自己的母亲介绍给我们认识？就算哥哥们对祖母在印象里只有不喜欢，那也没有关系。我总该有机会认识祖母，然后再决定要不要也不喜欢她，虽然，我会喜欢这个女人的可能性微乎其微。

信寄出去了，几天之后，父亲开着他那辆车来到我们街区。那是辆长卡罗拉，白色车顶，尾灯似回旋镖。像往常一样，邻居家的一个孩子看到父亲，气喘吁吁地跑到我家门口，说："内尔女士，他们的父亲说话就到！"哥哥艾瑞克没在家，但是，已经十四岁的霍华德和我都在家陪着母亲。

霍华德不想跟父亲再有一点儿瓜葛。"我不想见他，也不会见他！"他说，不无蔑视。对这愚蠢的行为，母亲不会坐视不管。她让我们两个肩并肩站着。"他又不会杀了你们。"她说，这暗示着，遭遇死亡威胁，而回避一个人，才有道理。"你立刻带着你的妹妹出去，你想跟他说什么，就说什么。现在快去。你要和妹妹一起去。"

霍华德很生我的气，也很着急，在这样的情况下，他毕竟要像家里的长子一样。我们这小股军队的将军，这个角色一直由艾瑞克来担任，霍华德不想管事，我根本不在意。我并不需要霍华德，我做好了战斗准备，我要把父亲杀得落花流水。怒不可遏，满腔怒火，饱受委屈，就像一枚寻找热源的导弹，我锁定父亲这个目标，要把他摧毁。

我们遇到父亲，当时父亲正走在阿姆斯特丹大道上，马上要走到我们住的楼了。他拉着我的手，一起走到埃奇科姆大道和第163街，他把车停在那。他打开车门，让我和霍华德上去，坐到后座上。我的天啊，前排座位上坐着他现任女朋友朱丽叶·杰克逊小姐。自从父亲把艾丽斯小姐和她那醍醐的儿子帕特赶出家门，我还没有见过他的这位女朋友。

有一次，我单独和父亲待着，我告诉他，他不在的时候，艾丽斯小姐虐待我们。我跟他说，等父亲睡着了，艾丽斯会逼着霍华德一个人到漆黑的地下室去洗罐子。我们三个孩子当中，霍华德脾气最温柔，心肠最好。父亲惊呆了，问我为什么不早点儿告诉他。"我以为，她这样对我们，你是知道的。"我说。他深吸一口气，说，他不会让任何人伤害我们，那是我最爱父亲的时候。那个虐待我们的女人，他把她赶了出去；他杀死了怪兽——她那怪物一般的儿子——曾经让哥哥们和我吓得要命。与一个年长又暴力的女人同住一个屋檐下，他太知道这是一种什么滋味了。随着时间的推移，他对梅的记忆也许淡了一些，但是，想到自己的骨肉也沦落到相似境地，还是在他完全有能力伸出援手时，这令父亲心痛不已。

然而，现在又到了父亲把我们的生活弄得一团乱的时候了。我大着胆子，把头探到前排座位，看到朱丽叶小姐怀孕了！怀孕？我的脑袋炸了，这是常事，我变成了两个葆拉：在这种情况下，一个坐在车里，另一个在上方漂浮，观察和记录着这一场景。在我以后的人生里，这样的场景一遍又一遍地重复播放。父亲开始道歉，自说自话，他也是好心好意，想要和我言归于好，这实在白费力气。他承认自己错了，他说，没有把祖母带来跟三个孙子辈的孩子团聚，这是他的错。实际上，他决定要补偿我，几个星期之后，会带我去牙买加见祖母。

那些话落在我耳边，就像垃圾被风卷起。

"那个女人怀孕了？"我低声质问，我的声音肯定非常沙哑，让人听着毛骨悚然。"是你的孩子么？"

朱丽叶开始轻声啜泣，父亲停了一下。"对。"他说。

我无法控制自己的怒气。"你怎么可以这样？你怎么可以这样？我和哥哥们每天吃土豆，因为土豆只有五分钱一磅。为了让我们吃上饭，妈妈每天熬夜，为洗衣店里的客人们缝缝补补。你却把某个女人的肚子搞大，开着最好的车，照顾着她？你怎么可以这样？你是我们的父亲，你的三个孩子什么都没有！我们什么都没有！你怎么可以把原本属于我们的东西拿给这个女人和你那野孩子？"

我越说越气，十二岁的我根本控制不了那么大的怒火。"你知不知道，我有时候会饿肚子？你知不知道，我们有时候不够吃？你知不知道，母亲总是最后才吃饭，为了让我们吃饱，母亲有时候根本不吃？"

我无视朱丽叶小姐的眼泪，开始冲她开火。"你想跟这个人结婚？哦，你不能跟他结婚，因为他还和我的母亲保持着婚姻关系。这你知道吗？"她吃了一惊。但是，她根本没有时间问父亲这是不是真的，因为我又开始冲父亲开火了。

"你到底是什么人，居然把自己的母亲带到这儿来？你知道，我从来没有见过自己的祖母，你生我的气也好，不生气也罢，是你不让我见祖母。"

朱丽叶小姐流着眼泪，又伴以喉咙深处的呜咽，她的肩膀上下起伏。她转过身来，对着我，仿佛要说什么话。

"别跟我说话！"我大喊，"一个字都别跟我说。你是个坏透了坏透了的女人，他是个坏透了坏透了的男人。"

这一次创纪录了，我伤了父亲的心。

他活该，漂浮着的葆拉对坐着的葆拉说。不要退缩，他不是你的父亲，你爸爸永远也不会这样对你。他的生日是 8 月 25 日，我的生日是 8 月 24 日。"你是我收到的最好的生日礼物。"这是父亲经常对我说的话。

他的胸膛抵着方向盘。

"葆……"他说。"宝，对不起。我在这儿，我在这儿，我不会再离开了。"

我想相信他说的话，我想信任他，我想坐在爸爸的腿上，让他像以前那样抱着我。然而，我说："这件事，我永远都不会原谅你。"我说，"我们没有什么亲戚，我从未见过自己祖父、祖母、外祖父、外祖母。"

父亲肯定看到了一丝曙光。"葆，对不起，我想带你去牙买加见祖母。"

"你想带我去牙买加？"我说，"祖母就在这儿，现在你要带我去那儿？"

"你说得对。"他说，"你本来能看到她，她也该见见你，你本该见她的。"

霍华德打开车门，几乎跳到了人行道上。要是说，亲眼见到这一切，这让他惊讶不已——没说一句话——这实在是轻描淡写了。他一直担心可能不得不保护我，不被一个生气的父亲伤害。他没想到，自己那龙年出生的妹妹可以成为，也有能力成为愤怒的复仇者。

父亲下车，帮我把后面座位的车门打开。我匆忙绕过车，走到人行道上，父亲抱了抱我。这实属不易，要拥抱一个愤怒的复仇者，实属不易。我躲到一边，透过眼镜，等着父亲，蔑视地歪着头。

朱丽叶啜泣着，霍华德看着，父亲祈求着，我转身走开了。

爸爸说他保证：几个星期后，他和我一起去牙买加。

我和霍华德走过卡布里尼医院，顺着第163街走到头儿，一路上，我把漂浮着的葆拉所捕捉到的镜头回放。周围的一切似乎安静得出奇。夏日街道上车辆来来往往，男孩子们嬉闹着玩棍球游戏，女孩儿们在玩双摇绳，跳绳打在人行道上，很有节奏感；音像店放着魔城的流行金曲，音量很大——这一切，我都没听到。

我们回到母亲的小屋，那才是安全的地方。母亲情绪激动时，会讲牙买加土话。我听到她用牙买加土话问："告诉我，怎么了？"

霍华德醒过神来，活力十足，他告诉妈，葆拉跟爸爸说了这样的话！她说，爸爸是个坏父亲！接着，她跟朱丽叶小姐说，朱丽叶小姐是个坏女人，把父亲从我们身边抢走，还跟他有了私生子！

什么？在法律上，我的父母仍旧有婚姻关系，根本没有离婚，他也没有提出离婚要求。

　　"怀孕了？"内尔从这段话里只听到这句了？我知道，母亲记得当初的誓言，绝不会有私生子。他们不会有私生子。又一个诺言无法兑现，又一个允诺被破坏。

　　我质问父亲的故事被讲了许多遍，大哥艾瑞克回家时，正赶上又一遍的讲述，大哥听着，咯咯笑着。

　　第二天，乔治来了，笑着说，他以我为傲。他说，父亲需要从我嘴里听到那些话。他手里拿着现金，说父亲让他把钱带给母亲，父亲不再为我们不肯跟他住的事情惩罚我们，拖着不给子女抚养费。多年以来，我们与父亲疏离，这样的日子终于结束了。

我见到了祖母萨拉

1966 年 8 月 13 日，英联邦运动会——类似奥运会——在牙买加金斯敦举行。来自英联邦国家的 34 个代表队在游泳、赛艇、拳击、羽毛球等项目上进行竞技，整个岛处于为之兴奋的状态。但是，对于我们来说，运动会大多数时候只是背景音而已，我们要去见家人。

父亲遵守了自己的诺言。

此次出行，是父亲为那多年疏离，也为自己那怀孕的女朋友，试图以自己的方式弥补我们之间的裂痕。他定了泛美航空公司飞往牙买加的头等舱机票。那是我头一次坐飞机，我打扮了一番，带了礼物，母亲要我把礼物带给那边还健在的家人。特别是她的妹妹，也是我的小姨海厄森斯。那礼物是一块浪琴－威娜欧手表，两面都镶着碎钻，一条黑色细带子作为表带。我真不知道母亲是怎样省吃俭用买下这手表的。但是，这款手表的确是又珍贵又重要的礼物。母亲让我发誓，绝不把手表的事告诉任何人，尽我所能，仔细收着。

父亲在福吉谷钢厂上班，负责制造飞机引擎零件。待我们在豪华的座位上坐定，父亲开始谈起飞机引擎工作原理。飞机比空气重，飞机引擎却能让飞机起飞，在空中飞行。父亲这一番话，让往事在我眼前一幕幕涌起，记得三岁那年，我曾和父亲一起去布鲁克林的弗洛伊德·贝内特机场看航空展。

在弗洛伊德·贝内特机场，飞机在头顶轰鸣，父亲向我和哥哥们大

寻找罗定朝
从哈莱姆、牙买加到中国

讲航空学和航空动力学,他的激情和热情极富感染力。在母亲的鼓励下,哥哥们花上数个小时,就在我们位于阿姆斯特丹大道上的小公寓里,摆弄软木、胶水、单面剃须刀片,组装、拆解、再组装飞机模型。我们会一起凑钱买材料,哥哥们去航模业余爱好者商店买螺旋桨动力推进的小引擎。等我们完成了,我们就会前往埃奇克姆公园,后面跟着其他孩子组成的方阵,总是警惕的母亲,还有我家狗狗公爵,看看这些实验会不会真的成为工程壮举。

那是我第一次真正意义上的飞行,爸爸断定我一定能爱上飞行,的确如此。空姐过来为我们点单,我第一顿空中大餐端上来了,放在白色蛤壳型食品盒里,那盒子又大又干净,非常讲究。里面的食物泛着一层珠光,小扇贝混合着奶油汁。啊,我的天啊,边上还放着土豆泥!这份餐整个被放在烤箱里,或者放在明火上,因为土豆泥表面有一种焦黄的感觉,脆脆的。看着这奢侈的一餐,我冲自己微笑。

每个餐盘上都配有白色麻布餐具垫,还有一套盐和胡椒调味瓶,每个大概有 1.5 英寸高,透明玻璃瓶,上面有镀银的盖子。收拾我们餐盘的那位空姐到底会不会发现调味瓶不见了,我就不知道了。

六岁时,爸爸给了我一本艾米·范德比尔特所著的礼仪方面的书,我读了,记住了其中最重要的部分。七岁时,我知道如何为八道菜的正式用餐准备餐具——在哈莱姆区我们那两居室的房子里,这可是项重要技能。父亲希望在他皇后区的住房里,每个座位上都有一套盐和胡椒调味瓶,泛美航空公司帮助他实现了目标。

尽管我非常喜欢这个经历,仍禁不住想到,在哈莱姆区的公寓里,我们有时候没有足够的钱来买基本生活用品。然而,爸爸在春田花园拥有一栋住房——他把艾瑞克、霍华德和我的名字都放在了房本上面,这样,我们从小就知道自己是房主——他还买了头等舱机票,让我飞到牙买加。

这么奢侈，这么讲究，这些菜肴，都让我印象深刻，同时，也让我心生怨恨。

我们飞抵金斯敦，突然之间，我见到了家人。奎达姑姑，也就是父亲的继妹，还有她的弟弟们——保罗叔叔和马克西姆叔叔——都在那儿。马克西姆叔叔在海关工作，他在机场等我们。他们是马克斯·哈里森的孩子，也就是祖母萨拉的继子和继女，也就是爸爸和卡门姑姑的继妹继弟，还有哈里叔叔的同母异父和同父异母的兄弟姐妹。但是，在牙买加，真的无所谓"继"，无所谓"同父异母"、"同母异父"，你就是家人。他们拥抱着我，充满热情，满怀爱意。父亲一旦身处牙买加，他出生的地方，他成为公民的地方，就变得更加强大，也变得更像牙买加人，口音更加明显了，用的土话更多了，我从未听他这样说话，他的笑声里多了一些轻快。就在我眼前，父亲变了，变得更有自信，更有当家作主的感觉，超出我平时所见。

我呼吸着又热又潮的空气，觉得自己几乎是在吸入丰富的香味，那是一种令人眩晕的组合，别处没有，只在这个岛上。这种气味组合非常突出，混合着海洋的气味和出汗身体的气味，清甜如甘蔗，绵密如咖喱。我真想一眼看下去，什么都看进眼里，有生以来第一次，轻快的牙买加土话从四面八方把我包围。这些土话强调了这样一个事实，父母在哈莱姆区多么格格不入。我听别人讲话，不用翻译，但是，我跟别人讲话，有时候，父亲得替我翻译。

接着，父亲带我去见祖母，也就是他的母亲，也是当年被称为萨拉姨妈的人。

我们终于来到萨拉住的地方，梅尔罗斯大道 4 号，那是一栋殖民地庄园风格的大房子，有大阳台和百叶窗，我在哈莱姆区没有见过这些。祖母褐色皮肤，身材矮小，胸部丰满，腰肢很粗，非常典型的祖母形象。她一头灰发，没有染过，没有烫过，编成两股，皱皱巴巴，弯弯曲曲，用发卡盘在两边。房子里都是小玩意，椅子背上和扶手上有熨烫服帖的蕾丝方巾。房子里随处可见桃木家具。屋顶吊扇制造出轻柔，却又湿又热的微风。萨拉和丈夫马克斯·哈里森住在房子里，还有仆人也在，住在后面的一个房间里。看得出来，父亲带着我到处炫耀，非常骄傲，在自己母亲身边却赔着小心。我问父亲，母亲的妹妹和母亲住在哪里，他说，就在大约一英里的地方，大概有一英里半的地方。距离根本不远，可以走路去。

但是，三天过去了，我们仍没有动身。

我开始给父亲施加压力。祖母不会费心带着我去见早就不相往来的姻亲；父亲忙着和金斯敦的亲戚朋友叙旧，忙着带着我炫耀。我们去了彼得叔叔在比斯顿街上的家具店，我们参观了一家报纸——《拾穗人日报》，父亲的朋友是那里的编辑。那个人很好，把我的名字葆拉·威廉姆斯刻在金属印章上，他们还在用那种老式热排压床。我们吃着肉饼，喝着新鲜的椰汁。大砍刀轻轻一砍，椰子就开了。我爱金斯敦，但是，还差一个重要的会面。"爸爸，我什么时候才能见到外祖母和海厄森斯小姨？"

"明天带你去。"他说。

当天晚上，我紧张地为这次重要的团聚做准备。我挑出一套衣服，全都展开。我拿出母亲精心挑选的礼物，包括那块我仔细收藏起来的手表。但是，我打开盒子，往里看，母亲亲手放在里面的那块珍贵的浪琴 - 威纳欧不见了，取而代之的是一块廉价破旧的天美时。我根本不敢相信自己的眼睛，哦，我的天！这不是母亲交给我的表。我慌了神，叫来父亲。

父亲走进我的房间，看到我十分伤心。

"怎么了？"

"妈妈给我一块手表，让我交给海厄森斯小姨。"我说，一边由于震惊而大口吸气。"可是，手表不见了。这不是那块手表。"我几乎要哭出来了。这是牙买加之行重要的任务，结果，却要搞砸了。我怎么跟母亲交代啊？

父亲的下巴一紧。"把手表给我。"他说。我把那装着破表的盒子交给了父亲。他说："在这儿等着。"

不一会儿工夫，我听到父亲跟祖母大喊，把怒火和谩骂全都投向她。对于她那些邪恶的计谋，他已经习惯，但是，他实在不敢相信，她居然把计谋用在刚刚见面的孙女身上。父亲回来了，手里拿着那块浪琴－威纳欧手表，我只是看着他。父亲保护了我，我很高兴；但是，父亲保护我，是为了不受他自己母亲的算计，我很惊讶。他只是说："我明天带你去见你外祖母和海厄森斯小姨。表是安全的。"

转天，我见到了艾伯塔，见到了小姨海厄森斯，还见到了海厄森斯的独生子诺曼。艾伯塔似乎和别人保持距离，也许，她只是上年纪了。心里的那个我在问她：你为什么把母亲从她父亲身边带走？母亲成长过程中，为什么你不在身边？为什么我从你身上感觉不到热情或爱，我对你也没有热情和爱？为什么你活着，而我的外祖父死了？

但是，母亲同母异父的妹妹，也就是我的小姨海厄森斯，十足的牙买加人，热情，有人缘，满怀爱意，非常好奇。就像其他牙买加人一样，她把我抱了起来，她超爱那块手表。

那年夏天，我刚刚十三岁，有生以来，第一次觉得我来自一个真实的家庭。我见到了哈里森一家；我见到了卡门阿姨的儿子卡尔弗特；我见到了彼得舅姥爷，他是祖母萨拉的弟弟，还见到了他的很多孩子；我见到了更多同龄亲戚；我见到了塔瓦雷斯兄弟，他们在金斯敦市中心开了一家很棒的珠宝店；我还见到了很多人。

但是，我没有见到一个姓罗的人。

令我不满的一年

哥哥霍华德对上高中没有兴趣，十六岁时，琢磨要辍学，后来，他真这么做了。我十二岁的时候，哥哥艾瑞克去了威廉姆斯大学。上大学在我们家是新鲜事，我只知道，上大学跟上高中一样，都要四年时间，上大学还要离开家。于是，当艾瑞克收拾行装准备去马萨诸塞州时，我固执地认定，哥哥一走就得四年。我伤心死了，整夜抱着枕头哭，垂头丧气。大哥艾瑞克不在身边，四年时间，让我怎么熬啊？现在，艾瑞克不时提起我曾经那样，他笑我傻，他当时不得不安慰我，说自己几个月后就回家过感恩节和圣诞节。

家里的孩子都在成长，都在变化。我要去上斯佩尔曼主教学校，那是全纽约市最负盛名的天主教高中。那个学校是大主教管区，学生来自属于那个管区的两个区：曼哈顿和布朗克斯。斯佩尔曼主教学校有在校学生大约两千人，男女生同校，男生占据大楼的一半，女生占据另外一半。当时，学校里的黑人学生不超过八十名。

我是受过洗礼的天主教徒，这是因为父母的一个决定。母亲是英国国教徒，父亲是天主教徒，为了可以完婚，她承诺要让他们的孩子成为天主教徒。我想像哥哥们那样，去公立高中上学，家里人明理，想方设法阻止我，我据理力争，却未遂。我非常生气，但是，家人不肯改变想法。然后，我进入了就像伊丽莎白·库布勒－罗斯所说的磋商期，与内尔和她的儿子们达成协议。纽约市天主教高中的入学考试包括一系列"合作

16岁的我。对于我来说，那是高中时代最困难的一年；从某种意义上来说，也是我生命中最激进的一年。那一年也不是特别欢乐的一段回忆。我如饥似渴地阅读书籍，比如《黑人林奇的百年》和《超越奴役》

寻找罗定朝

从哈莱姆、牙买加到中国

测验"，要整个上午才能考完。我跟家人说，要是我被独一无二、排名最高的天主教高中录取，我就去上；否则，公立高中——乔治·华盛顿、布兰代斯、或者朱丽叶·里奇曼——将会欢迎我成为新生。我参加了测验，成绩全优：天性和性格决不允许我故意写上错误的答案。我被斯佩尔曼主教学校录取，不得不承认，内尔和哥哥们是对的，这所学校让我走上成功之路。

1966 年，我入学斯佩尔曼主教学校。几个月之后，我就能心安理得地在指导教室里唱起戴安娜·罗斯和至高无上乐队（20 世纪 60 年代在美国流行乐坛盛极一时的女子组合，为美国最著名最有影响力的乐队之一，在美国音乐发展历程上有着不可忽视的重要地位——译者注）、德拉合唱团（Martha and the Vandellas，1967 年到 1972 年在美国流行乐坛排行榜上盛极一时的歌唱组合——译者注）和其他魔城女子组合的流行金曲（当然很烂！）。同班同学喜欢我那伴舞的版本（跳得很烂！），经常一起来跳。大家接受了我，不仅仅当我是个普通同学，有时候还当我是真正的朋友。这让我在斯佩尔曼的第一年过得很开心，很有成就感，大家欢迎我。

到了高二那一年，黑人权利运动开始。我们加入了非裔美国人学生团体，俱乐部就是这样一个地方。斯佩尔曼主教学校的女生们可以探讨何为黑人身份，不仅与女生们探讨，还与男生们探讨。我被选为主席，带领成员们讨论奴隶制度、侵犯民主权利、带有种族主义色彩的监狱制度、腐败的司法体制，还有那些发誓要改变这一切的黑人组织，"对抗权威"，甚至"赶走歧视黑人的猪！"

在高一和高二之间的那年夏天，伴着至高无上合唱团的"别再说了！以爱之名"颤抖着唱歌的那个葆拉·威廉姆斯被落在后面了——或者，更准确地说，那个葆拉·威廉姆斯蜕变成这样一个葆拉·威廉姆斯，开始政治化，有种族意识，知道自己是为非裔美国人正当权利而奋斗的先锋。蓦然回首，我明白，我的这一转变让我的同学和老师如何困惑，但是，我对此非常清楚。愚昧的时代已经结束：黑人遭到殴打、控告、判刑，我不再有时间唱唱跳跳了。

对于我来说，那是高中时代最困难的一年；从某种意义上来说，也是我生命中最激进的一年。那一年也不是特别欢乐的一段回忆。我如饥似渴地阅读书籍，比如《黑人林奇的百年》和《超越奴役》。

历史上，1967 年不像 1968 年那样具有分水岭意义。但是，在民权运动中，那一年非常重要，国内形势紧张，我深有同感。4 月，斯托克利·卡迈克尔——学生非暴力协调委员会的一位领袖，在西雅图的一次大型会议上使用了（很可能是发明了）那个引发巨大反响的词语"黑人权利"。整个国家都能感觉到那冲击波，他具体讲出了黑人权利的意义：作为黑人值得骄傲，黑人权利不仅仅要声明这一点，还意味着"黑人要团结起来，为了解放而斗争，要使用任何必要手段"。

"要使用任何必要手段"这句话如雷贯耳，引起了现有制度的变化。

那一年夏天，最高法院宣布，禁止种族通婚根本不符合宪法精神，这禁止依然在十六个州实行。但是，那年夏天并不平静。在底特律和新泽西州纽瓦克市——纽约市的邻居——种族暴乱爆发。在我看来，风险比任何时候都高。

这个时候，我家已经搬到第110街的公寓，位于曼哈顿大道和哥伦布大道之间。我和高中时的好朋友谢里·贝拉米开始就近造访黑豹党在哈莱姆区的办事处，就在第112街和第七大道交汇处。谢里的姐姐是黑豹党正式成员，她的父亲曾是塔斯克基飞行员，她家的经历是非裔美国人最典型的。我和谢里讨论过"转过另一边脸让人打"原则，赞同"要使用任何必要手段"。我跨过了智慧和情感的界限，我们的国家正有大事发生，可能的结果将直接影响我和我的家人。要解放，还需战斗，在战斗过程中，我真的会吃苦头。

我的变化，母亲看在眼里，心里也明白。她懂得我们怎样受压迫，每次我表达自己的想法，每一次我支持种族主义观点或者持有这种观点的人，母亲一直鼓励我。也许，这有些让人惊讶，母亲向来严守规矩，居然有一个激进的灵魂。在政治觉醒和激进化过程中，母亲和我在一起。母亲看上去虽然像华人，跟我们这些孩子一样，她把自己看成：首先，是"有色人种"；其次，是"非裔"；再次，才是"黑人"。这种认同包含一种基本的压迫感，一种反抗的需要，百折不回。母亲支持我。

有时候，我和母亲晚上坐在一起看电视，民权运动在我们眼前展开：水管与狗，和平示威与示威者遭遇的暴力行为。黑白世界里，就是我们那一代人最重要的戏剧性事件，成百上千万男人、女人和孩子终于站起来，说"够了"。那个时期的重要人物——马丁·路德·金、马尔科姆、斯托克利·卡迈克尔——在我的客家母亲身上深深地激发了不同反应。她当然懂得，一场社会革命需要经历许多阶段，需要来自不同方向——在牙买加，她亲眼见过，牙买加从殖民统治者手里抢夺权力——但是，她不是很明白"消极抵抗"这个概念。

消极抵抗？人们都疯了么？在我那拿得起刀的母亲看起来，处事消极，什么都得不到。马尔科姆说得有道理，马丁·路德·金说得没道理。

还有些事也没有道理。一天，在基督教青年会附近的理发店，我把长头发剪成短短的非洲式卷发。哥哥们和母亲一起表示震惊和谴责。母亲开始冲我大叫，但是她的谩骂声被哥哥们低沉的声音淹没了，大家又是揶揄，又是愤怒："你到底把自己的头发怎么了？"哥哥们怒不可遏，把我摔在地上，并非玩笑的那种感觉，用拳猛击我。这看上去像是戏弄，却掩盖不了他们那完全不同意和彻底厌恶的态度。于是，我的头发又一次成为家里的热点话题，但是，这一次，我不再是小孩子，不能打发我去别人家里，让别人来帮忙打理头发；这一次，我是个骄傲而又蔑视一切的少女。我知道，我在引领潮流——实际上，几年以后，母亲也把头发剪短，卷发贴着母亲那张牙买加和华人混血的脸。

与许多同代人一样，我在 1967 年爆发，那经历非常突然，既让人迷失，又让人找回方向。我在一所天主教高中上高二，学校里大部分是白人，虽然我能感觉到民权运动的影响力已经把我包围，但是，这场运动的热量还没有穿透高中的墙壁，我要调高温度了。看到同胞受到压迫，我会发自内心地愤怒。当我想到英国在牙买加的殖民主义统治——对于我的家人来说，这个经历比美国人对奴隶制和内战的经历来得更加真切——我更加愤怒。

有一天，历史课上，我们讨论时事。约翰·林赛市长面对纽约市一再出现的财政危机，认为缩短图书馆开放时间，节约人力物力，是个明智的举措。班上有个同学说，削减图书馆开放时间，将会产生不良后果，大家都会遭殃，更加精明的做法是"去哈莱姆区，找出那些骗福利的人"。

我对此表示侧目，我能感觉到，两个葆拉开始分离。但是，我决定，让这对话继续进行下去。

同学们一个接着一个表示同意，指出福利制度及其接受者的犯罪本质，提到接受官方援助的人的各种模式化形象：懒惰、不诚实、游手好闲，占有精良耐用电器，用的却是诚实纳税好公民的钱。我瞥了一眼时钟，还有几分钟就要下课了，要是我想说些什么，需要现在就说。

我举起了手，历史课老师威廉·玛丽修女叫了我的名字。

"你们认识接受福利的人么？"我问道。

对话停止了。

"啊，我就算一个。"我说，"五岁开始，我就接受福利了。"

这不是我第一次让白人觉得不舒服，但是，这次最令人满意，我能感觉到自己能量的上升。

"你们长这么大，有没有饿着肚子去睡觉？你们有没有遇到过这情况，社工跑到你家里找人，就因为他们认为你们的母亲藏匿了自己的情人？"

一片寂静，却又震耳欲聋，不用说，没有人举手。

"直到我十三岁，家里才买圣诞树。"我说。我没有说，现在我们买圣诞树是因为哥哥艾瑞克，他在威廉姆斯大学上学，有奖学金。他把大部分钱都寄回家，我们终于能有钱"浪费"在一棵用完就扔的树上。

"钱总是不够花，我们会等到平安夜特别晚的时候，然后，去卖圣诞树的地方买剩下的。"

全班惊诧不已，没有人说话。然后，开始有人流眼泪，有人开始抽泣："我们不知道，你接受福利。""你是我们中的一员。""真对不起，我不知情。"我十分冷漠，也十分暴躁，我才刚刚开始发威。

"我刚才听到一连串话，又是偏见，又是仇恨，你们怎么说得出口？"我问道。"你们对自己所谴责的人根本一无所知。"

下课铃响了，时钟显示，这堂课结束了，没有人动。我收拾东西，准备离开。我沿着走道离开，说："还有，我仍旧在接受福利。"

威廉·玛丽修女让我等一下。"葆拉，你说的话，让人印象深刻。女生们需要倾听你的经历。"她说，"谢谢你。实际上，我下午还有一节课，你可以来讲讲么？"

我觉得，她是好心，但是，我实在不敢相信自己的耳朵。"不好意思，修女。"我说。"下午，我还有课。上帝把我放在这个星球上，不是让我教白人明白当黑人和穷人是什么样子的。"我还有重要的一点要说。我问她："我要是下午让你的学生变得敏感，我会错过生物课，那谁会帮我上？"她脸红了。"不，修女，我不去。"我说着离开了。"还有，感谢您刚才讨论时不吭声，也感谢您没有纠正或者挑战他们那些充满仇恨的言论。"

也许，那个时候，我感觉到了什么，半个地球之外的地方，心灵感应，让人不安。1967年5月13日，那一天，我那七十八岁的外祖父在中国去世。

为人不可无孝，尽孝，如树无根，如水无源。

——中国谚语

第四章

龙 年

在中国农历中，每一年都和一种特定的动物联系到一起，比如，1984年是鼠年，2013年是蛇年。在西方星相学中，黄道带被分为很多时间段，每个时间段有一个月那么长，每一个时间段都有一个星象。中国属相学与此不同，十二种动物，每一种代表一个年份，于是，十二年一轮回。中国农历新年有时候在公历一月，有时候在公历二月，农历新年很少始于公历1月1日。比如说，如果你出生在公历一月或者二月，那么，你的属相就是前一年的属相。再加上五行、颜色，还有其他，那是整套属相学简况的重要组成部分，而完整的就更加复杂了。但是，每种动物基本上代表特定的性格特点。比如，羊代表头脑聪明，有艺术细胞，举止文明，也代表缺乏安全感，自我放纵；兔代表能言善辩，容易相处，举止文雅，但是，也代表超然和冷淡。

我出生在1952年，那一年是龙年。龙是中国农历中唯一的神话动物，其他十一种动物都真实存在。龙有神话地位，这也许可以解释人们为什么认为龙是属相中最有能力的，也可以解释为什么属龙的人都有极强烈的个性。我们这些龙年出生的人都相信自己，认为自己是天生的领导者，我们都福气盈盈，万事亨通。这当然毫无争议——但是，我们的缺点是，会发脾气，自以为是，固执己见。再后来发现，我不是普通的龙。我的生辰八字——年份、月份、日期、时间——加在一起，我是绿色的龙，这让本已极端的属相更加极端。

自信而坚强的我。绿色龙需要组织别人和领导别人，这需要得到了这充分的表达，我曾经就职于几家电视台，总是能够成功升职

整个学习生涯和职业生涯中，我一直遵循着绿色龙的生命轨迹。我也许在斯佩尔曼主教学校挑战极限，但是，我绝不偷懒懈怠。在所有同意录取我的名校中，我选择了瓦萨大学。我拿到了历史和非洲研究的双学位，准备在教书中一展才华。实际上，大四时，我被哥伦比亚师范大学录取。我在瓦萨有个朋友，是位非裔美国人，名叫拉弗勒·佩索尔，比我大几岁。她去了哥伦比亚大学，却上了新闻学院。一次，她回瓦萨来度假，对我说："你真该考虑一下读新闻。"那时，正值"后水门事件"的黄金时期，新闻成了有名望的职业，吸引着最优秀最聪明的人。新闻从业者还没有太多非裔美国女性。

　　"那是什么？"我并非虚伪——我真的不知道如何写新闻报道，也不知道成为记者到底意味着什么。

　　拉弗勒笑了起来，为我解释了新闻这个职业，而这个职业将伴我一生。这个职业听起来令人兴奋，我精力旺盛，好奇心强。我感到这职业和我很配，工作中重要一部分就是不断学习，我不想在教书的岗位上一成不变，相同几个科目，一教就是一辈子。我上了雪城大学的新闻学院，遇到了女儿的生身父亲，嫁给了他，后来成为《雪城先驱日报》的一名记者。我喜欢我的工作，我喜欢和别人聊天，我喜欢调查不公现象，我喜欢查阅资料，我喜欢找寻联系。接着，我受雇于沃斯堡更大的一家报纸；8年后，职业转型，我改行从事电视行业。

　　绿色龙需要组织别人和领导别人，这需要得到了最充分的表达。我曾就职于几家电视台，总是能够成功升职，直到1989年，我和丈夫罗斯福以及女儿伊玛尼搬到纽约。在WNBC，我先是担任新闻部副主任，后来担任副总裁和新闻部主任。我们的新闻播报成了业内第一，这是16年来第一次，我们赢了每个电视新闻奖。2001年，我成为KNBC在洛杉矶的总裁和总经理。在诸多方面，洛杉矶这个城市比纽约更具有挑战性，

大学毕业，和老师合影

更加多元；这个城市离中国更近，这里的华人社区给人的感觉和纽约的华人社区完全不同。洛杉矶的华人社区与中国的联系更加紧密——跟中国更接近——在很多方面都是这样。

不管是机会，是偶然，还是命运如此，2012 年成了我生命中最重要的一年。此前一年，我已经从 NBC 环球退休，刚刚开始习惯自由自在的生活。当 2011 年变成 2012 年，兔年变成了龙年，我几乎能感觉到，不管做什么，都会加快节奏。

这要从 2011 年 11 月的一天下午说起。当时，就在洛杉矶的家里，我坐在电脑前，盯着电脑屏幕，那股专心劲儿，我经常在调查记者的脸上看到。那是这样一种表情，基本大意就是，"我怎么开始呢？我必须把这报道拿下来"。外面下着雨，丈夫罗斯福放着音乐，我没有注意，

2009年担任NBC环球执行副总裁，获得女性力量奖

脑子里的声音让我心事重重。我想找出真相，想知道外祖父塞缪尔·罗身上到底发生了什么事。我已经不再有理由推迟，已经退休了，已经不能再拿生活忙碌当借口。那些问我未来计划的人，我告诉他们每一个人，我有许多计划——经营我们在美国职业女篮洛杉矶火花队的家族生意，经营我们在非洲频道的生意，等等——找到母亲家庭的真相，揭开祖父的命运之谜，这才是我的首要任务。

我坐在那儿，拉开架势，准备开启寻亲之旅。这种体验，非常奇怪，我觉得有些不太舒服，我知道自己需要做什么是一回事，而真正着手做是另外一回事，我悬在中间。我经常说，要找到母亲的家人，但是，直到最近，我有职业，有责任，让我很难正式开始寻找亲人。但是，11月

我在NBC工作时的工作照，我喜欢新闻这个职业，而这个职业也伴我一生

新闻事业给了我许多荣誉

的那个时刻，实在有所不同：更为重要，不再留有余地。

　　我敲出来几个字："塞——缪——尔——罗——，牙——买——加——。"

　　首先出现的是北卡罗纳莱纳州历史协会的《宗谱杂志》，上面提到："1863 年 8 月 26 日，牙买加皇家港口的塞缪尔·罗和约翰·哈里斯行使律师权力，跟约翰·弗拉维尔船长清理了全部到期债务。"要是塞缪尔·罗是个更普通的名字就好了。1863 年 8 月 26 日，25 年后，我的外祖父才出生。更多搜索结果——一个比一个没用——出现了。没有独特的名字，没有重要的特征，这样寻找一个人，互联网帮不了什么忙。我需要从更近的地方开始。

我打电话给我认识的叔叔和姑姑，都是父亲那边的亲戚。他的兄弟姐妹——哈里叔叔和姑姑卡门，每个人都管她叫凯特姑姑——（分别）比父亲小 16 岁和 19 岁。"我要找到母亲在中国的家人。"我这样说，凯特姑姑接的电话。当记者的时候，我学到一点，采访开始的时候，问容易回答的问题，这点是个好办法。第一个容易给出的答案似乎揭开了尘封的记忆，也许那个答案激发了神经元突触——回忆往事——其他时候，突触可不起作用。

"也许，作为开始，你可以告诉我祖母具体在哪里出生。"我是说，父亲的母亲萨拉。如果我这么想，可以从萨拉开始我的寻亲之旅，萨拉与母亲的关系也许可以提供一些新信息，也许，萨拉跟她年纪小一些的孩子们讲过内尔的一些事，这些事可能我没有听过。凯特和哈里都是长者，为人很好，满怀爱意，乐于助人，这都让人感动。但是，他们不一定能记起什么对我有用的事。又或者，我想要的太多，任何人都没有办法提供那么多信息。"亲爱的，我觉得自己可能帮不上什么忙。"凯特姑姑说，"但是，那个住在多伦多的 JJ 也许能回答你的问题。劳埃德家的历史，他知道的很多，我打个电话给他。"

我几十年没有跟 JJ 说过话了，但是，我知道，这并不要紧。JJ 现在七十多岁，叫约翰·霍尔，是父亲的表亲，是查利·米德的弟弟。他毕业于沃尔默，那是金斯敦很有名望的预科学校，在圣·安德鲁教区，学校始建于 1729 年。沃尔默教育培养了牙买加许多精英，学校的校训——无论何为，为之胜——启发了几代牙买加黑人和华裔牙买加学生。

对于牙买加大社区和华裔牙买加大社区来说，多伦多是个家，沃尔默经常在那儿举办校友联谊会和其他活动，即使那里距离牙买加北部千里之遥。卡门姑姑跟 JJ 说了我要寻亲的事，JJ 就开始行动。2012 年 2 月，

The news product wasn't the focus. It was the turmoil. It was madness behind the scenes. All they wanted was for someone to say OK, cut the crap.

Paula Walker in the Channel 11 newsroom

"新闻产品不是关键，而是混乱，是场景背后的疯狂。观众需的是有人说好的，所以要剪掉废话。"——葆拉在新闻室

他正在多伦多参加一个这样的联谊会。他身负使命，在举办地点问在场的人说："我正在帮我的表妹寻找她的华人外祖父的家人，外祖父姓罗。你们有认识姓罗的么？"

令人惊讶的是，一个人几乎语气有些冷漠地回答："噢，当然，但是，那些人都不在这儿。"

他解释道，就像来这里参加联谊会的华人一样，罗氏是中国的一个少数族群——客家人。客家人是流浪者，具有特定的文化特征，本来住在中国北方，一千年前，迫于战乱和饥荒而向南方迁徙。客家人很有名，具有企业家精神，为了兴旺发达，愿意移居他地。客家人的另一个明显特征是，客家女人不缠足，跟其他中国女人不一样。客家女人生来就是企业家，非常务实，她们绝对没兴趣为了显示财富而缠足而只能被人抬着或者推着。沃尔默的这位校友还跟 JJ 说："告诉你表妹，来开年会的地方，姓罗的人会在那儿。"运气真是好得不得了。JJ 打电话告诉我，客家华人年会拟定于 2012 年 6 月在多伦多举行。他觉得，我肯定能在年会上得到重要线索。

大约同一时间，JJ 见到了魏蘭芬（英文名卡罗·王）——一位举止优雅又超有效率的女士，她的父亲在岛上开了一家非常赚钱的"华人商铺"。卡罗的成长过程也正经历了家族企业的发展。这家企业最终包括一家干货店和一个加油站。多伦多的客家人社区里，大家都认识她。我给她发了封电子邮件，我们约定谈一谈。当我拿起电话，要打给她时，我紧张得像个初出茅庐的记者。她的声音却让人暖心，非常友好，平静得让人觉得不可思议。我说了母亲的情况，包括我所能记起的全部细节，很明显，细节也不是很多。她平静地听着，然后，说了一句话，一句我一辈子都想听到的话："葆拉，我会帮你找到亲人。"

客家人

　　客家人遍布世界各地,他们的家乡位于中国南方,有些人迁至加勒比、美国和加拿大。我甚至听说,在莱索托和非洲也有客家人的身影。客家,在汉语中意为"客居的人",其汉语翻译不仅是一个比喻,一个绝妙的说法,更是一个事实。客家人是客居的人,一直流浪,适应性强,极为独特。

　　学者们说,客家人起源于江西,最早于公元4世纪开始从中原地区南迁,在接下来的一千四百年中,客家人似乎从未停止过迁徙。公元18世纪,一些客家人漂泊到广东和广西西南,在土地和工作方面与当地人产生了的纠纷——这听起来很像在牙买加发生的事情。矛盾紧张状态升级,冲突时有发生,客家人被边缘化,也把自己边缘化。19世纪,有客家人定居在江门五邑,那是珠江三角洲的一个地区,这些客家人也制造了紧张局面,当地人口过剩。随后,从1854年到1867年,客家人和当地人之间大规模的"土客械斗"持续了14年之久。

　　太平天国起义发生在19世纪,是一场内战,从1850年持续到1864年。当时清王朝统治中国,频频在战争中失利,又经济困难,社会动荡,此起彼伏,还有鸦片战争。这场起义反对清朝政权,其领袖就是一位颇具人格魅力的客家人,名叫洪秀全,这个人也许不是让客家人最引以为傲的典型。洪秀全号称自己是个救世主式的人物,他受一个意象启发,自己是耶稣基督的弟弟。到1848年,他吸引了近万名追随者,他们大部分人来自该地区的客家和其他少数民族。到1850年,追随者的数量超过两万。这支队伍打败了政府军。洪秀全于 1851 年称王，说自己是太平天国的天王。

被洪秀全招募的人当中，就有客家女人，客家女人实际上也参与战斗。当起义军占领南京时，这些客家女人，手持武器，不缠足，大脚，这震惊了当时的传统军队。

刚强独立的女人。

英勇的战士。

不缠足。

当然，母亲不仅是华人，她也是客家人。

自家人：许多地方，同一族群

多伦多的几个姓罗的人将参加年会，他们都是客家华人。实际上，年会的一位联合主席名叫罗金生，魏蘭芬说。这个人会不会是我的血亲呢？他会不会知道塞缪尔·罗身上到底发生了什么呢？

我把自己和哥哥们参加年会的登记表打印了出来。年会将在多伦多约克大学举行，从6月29日（周五）到7月1日（周日）。时机刚刚好，我和朋友已经计划好8月9日访问中国。

JJ跟我提到过一部30分钟纪录片，叫《华人商铺》，他在多伦多华人文化中心看到的，他给我寄了一份拷贝来。我简直等不及，一拿到手，就把DVD放进机器里。纪录片是关于牙买加的华人商人——关于他们弥足珍贵的记忆，他们曾经历的紧张局面，也经受过的矛盾纷争，关于他们赚的钱，他们做的善事，他们的生活点滴。纪录片里说的就是和母亲、和外祖父一样的人。纪录片的拍摄者名叫江明月（英文名珍妮特·孔），是一名加拿大籍记者和电影制作人，在父母的华人商铺中长大，就像魏蘭芬，就像我的母亲。

我知道，即使不和别人谈，我也需要见一见江明月。母亲出生的环境，我从未得见。我知道，她的父亲是一位商人，但是，现在我明白了那个职业更大的环境，也懂得了那个职业对于19世纪末和20世纪初的牙买加有怎样的影响。

收到影像资料不久之后，父亲的妹妹奎达从牙买加打来电话。

"葆拉，一位女士从我家门前走过，当时她在锻炼，她姓罗。"她说。我开始觉得，自己像是在游乐场乘坐令人激动人心的过山车，像是被带着走向各个方向，又被撞击弹回，过去了这么多年，所有的力量怎么可能同时出现？龙年的力量开始主导世界。

"她是华人。"奎达姑姑接着说："我哪天要拦住艾莉·罗，问她是不是你母亲的亲戚。"

这位女士的夫家姓罗，但是，尽管如此，她仍帮上忙了：她告诉姑姑，她丈夫有个表亲，名叫雷蒙德·洛登凯，住在多伦多，深谙家族历史。她把邮箱给了姑姑，我联系了那人。那人立刻回复了，解释说，他的家人，还有很多别的姓罗的人，都来自一个叫观澜镇牛湖村的地方。可惜，他今年不能参加客家人年会。他依然让我想道：外祖父的汉语名字会不会就是洛登凯？塞缪尔有没有回到牛湖村？

客家华人年会的主题是"许多地方，同一族群"。周五晚上，在华人文化中心有个招待会。周六，与会人数激增到大约四百人，有题为"遗产与继承"的主题讲座。还有历史纪录片展示，是关于客家土楼的内容，那是一种圆形土制建筑，圆形的防御工事里包括几家住宅。小组交流集中于一个话题，即离散至马来西亚、加尔各答、中国台湾和香港的客家人。

我和哥哥们属于一个规模小却又显眼的枝节，即非裔美国人——带着摄制组——在成百上千客家华人组成的海洋里。其他与会者得知我们到场的原因，均有所反应，以我未曾见过的形式：没人扬起眉毛表示不同意，没人面露怀疑的神情。等到他们问到外祖父的汉语名字或者客家话名字时，对话就变成了我所熟悉的模样。

"我不知道他的汉语名字。"我说。跟之前的许多时候一样，我想着，神啊，要是我知道他的汉语名字就好了。

他们问："嗯，他住在金斯敦的哪里？"

"不知道。"

"他的店铺开在哪里？"

"不知道。"

然后，出现了新气象，格外美好。

"好啦，好啦，别担心。"他们说，"我们会帮你找到他。"他们没有灰心丧气，也没有气馁。有生以来头一次，我也没有。

他们扫描了母亲的照片，似乎她属于失踪人口——从某种程度上说，我觉得，母亲就是——把照片发给多伦多和牙买加的客家人社区，也许有人会认出她。

周六早晨，我和哥哥们一起来到年会大厅里，旁边就是纪录片制作人江明月，她拍摄了《华人商铺》，将会成为我们寻亲之旅最亲密的同盟者。我跟她说，她一定要帮我找到外祖父和他的家人。"看，"我说，"我不在牙买加出生，不在牙买加上学。客家人社区也不知道我的母亲。站在我的角度想一想，我不能走到客家人面前，问，'你能帮我寻找外祖父么？'事情不能这么办。"但是，江明月是客家人，她在牙买加出生，在华人商铺里长大，现在住在多伦多，这些人，她都认识。"你要帮我。"我又说了一遍。

她立刻答应了。

然后，她开始讲一种语言，我很快意识到，那是客家话。她说了一些词语，似乎在跟小孩子讲话，突然间，哥哥霍华德开始用同样的词来唱和。我转过身，想确定这声音真的是从他嘴里发出来的。

"那是什么？"我问他们两个，"你们在说什么？"

江明月说自己在数数，从一数到十。

"你怎么知道这些？"我问哥哥。霍华德看上去既骄傲，又有些不好意思。"小时候，妈妈教给我的。"他说："我都不知道自己会这个，突然之间，就想起来了。"但是，现在这样一幅画面在我脑海里浮现：母亲当年两三岁，和自己的父亲坐在一起，父亲正在耐心地教她怎么从一数到十。这一课，母亲从未忘记过，那是她父亲留给她的礼物，也许远比那副珍珠耳环珍贵，据说耳环也是她父亲留给她的。的确，这礼物引人注目，正是因为这礼物普通，超越了时间，具有普遍意义，是父母和孩子之间仪式的一部分。

内尔全部的父爱体验都跟失落有关，但是，她那碎片化的客家话知识是与父亲的真正纽带。对于我来说，我仿佛找到一封外祖父写给母亲的信。听着他们用一种神秘的语言数数，我以一种全新的尊敬的态度看着霍华德。霍华德与我们的父亲一样，长相俊美，皮肤黝黑，他就在那儿数数，用我们华人祖先的语言。

第二天，我和哥哥们向一小群人道别，我们已经跟这些人变得亲密起来。客家人社区的一位领导者帕特里克·李问我们知不知道外祖父何时抵达牙买加，或者在哪一年回中国。"完全没有头绪。"我这么回答，对于掌握的事实（或者缺乏事实）相当确定。

与此同时，哥哥艾瑞克回答："1934 年。"

又一个惊人的发现！"你怎么知道？"我问。

"妈妈告诉我的。"艾瑞克回答。实际上，母亲告诉他，在她 16 岁的时候，父亲离开牙买加，艾瑞克自己算出来的。

"嗯，如果你的外祖父 1934 年离开，他肯定在埃利斯岛上被隔离过。"帕特里克·李如是说。

"不对。《排华法案》有移民限额，我的母亲 1945 年到美国，在此之前，家里没有人去过美国。"我斩钉截铁地说。

这下，我觉得心里踏实多了。我曾经跟其他大约 30 个"杰出移民子女"一起接受过埃利斯岛荣誉勋章。那时候，移民档案首次开放，令人印象深刻。官员邀请了几位杰出人物——移民的第一代子女和第二代子女——来参加仪式，我亲眼看到，马德琳·奥尔布赖特、哈莱姆的议员查利·兰热尔和希拉里·克林顿通过在线电子档案寻找自己的亲戚。我觉得非常别扭，觉得自己是没有父母的孩子，我知道记录里没有我的亲戚，档案里不会有外祖父的丝毫痕迹。别人发现自己的父母或者祖父母或者外祖父母，兴奋地惊呼，我站在窗口，挣扎着强忍泪水，但是，我没忍住。

然而，帕特里克知道得更多。"所有途经美国领海的外国人，都要在埃利斯岛上，被隔离几天。"他说，"上网查查，看看移民记录，你可能会找到你外祖父的名字。"

年会还没有结束，我和哥哥们已经离开，登上飞往洛杉矶的飞机，艾瑞克开车回芝加哥。我和霍华德坐在多伦多机场候机大厅里，想着事情是怎么凑到一起的。我知道，江明月有本事发现一些联系。也许有些慢，也许有些费力，但是，我第一次有了信心，我们真的正在接近答案。年会上，我得知，来到牙买加的华人大多家在广东省。现在，在机场，我用 iPad 登录埃利斯岛的国家档案，在搜索框里打出几个字："塞缪尔·罗，广东，中国，金斯敦，牙买加，1934 年"。

一张船票档案出现在屏幕上。

他的名字就在档案上，却是 1933 年的。

我很平静，却感觉难以呼吸。霍华德转过身来，感觉到有什么事。"怎么了？"他问。我轻声说："我想，这就是他。"

"谁？"

"外祖父。我想，这就是他。"我说，指着屏幕上那个名字——"塞缪尔·罗"，我的手在颤抖。

接种疫苗后的移民准备入关

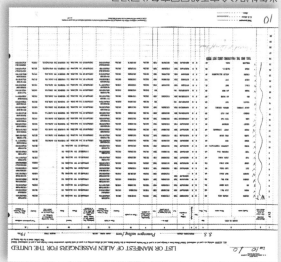

乘务外籍乘客登陆美国服务之清单

资本主义阶层和仆人阶层

　　理解牙买加的种族和阶层，就要忘记关于种族和阶层的大部分事实，这是我作为美国人的观点。在寻亲过程中，我理解了外祖父和母亲的生活，我了解到更多真相。比如，牙买加社会如何运作，华人对牙买加社会的影响，为什么每个社区那些华人小商铺如此重要，无论从经济方面来讲，还是从社会方面来讲——这是更广大世界里的微观世界。

　　先是受合约约束，辛苦劳作很多年，许多华人最终成为商人和数一数二的零售商。对于华人移民的动向，英国政府并没有做出限制。于是，这些懂得自律的企业家遍布整个牙买加，从小村庄，到像金斯敦那样的大城市。几乎每一个社区里，都有一家华人商铺，大多数居民从商铺里购买日用杂货和干货，还有杂七杂八的东西。这些商铺外观独特：屋顶巨大，防止顾客和店铺淋雨，两扇巨大的百叶窗，前面是店铺，后面住人。

　　商铺里卖主食，比如面粉、玉米面、谷物和大米，也卖各种面包，还卖罐头食品。一些商铺——我认为，外祖父的商铺就是其中之一——还卖各种锅和平底锅、布料、针线、锤子、钉子。架子上挂着简单的衣服。有时候，收银台旁边会放着大玻璃罐子，里面装满了各种糖果，挺立在那里，好像卫兵。走廊里，椰子糕、罗望子果球、动物饼干、成桶的咸鱼，都吸引着顾客。

　　现居多伦多的魏蘭芬，20 世纪 50 年代在一家华人商铺里长大。那家商铺是岛上最赚钱的商铺之一。在江明月的纪录片《华人商铺》里，她回忆，像我的外祖父一样，她的父亲也是从一家卖干货和杂货的商铺做起。"后来，我们也做五金器具，扩张店铺，变成一家朗姆酒馆。"她说，"当地人很喜欢朗姆酒，然后，我们放上音乐，在一间屋子里放着自动唱机，店里变得有点吵。牙买加开始有汽车，我们又扩建了这栋水泥建筑。最初，我们有一家加油站，后来，我们有了一家电影院。"我只能猜想，要是外祖父的命运没有改变，他会闯出什么名堂。

对于住在这和在这工作的人来说，信誉至关重要，黑人和华人之间的关系发展起来。买卖交易，停下来聊天，找这找那——所有的这一切最终产生了更亲密的关系，比如塞缪尔·罗与埃玛·艾莉森和艾伯塔·坎贝尔。

典型的是一位华人男子与一位牙买加女性之间的亲密关系，因为来牙买加的大多数是华人男子，他们作为劳工来到牙买加，看准商机，留在当地。牙买加的小学生身边经常坐着一个有一半华人血统的同学，店铺老板的孩子和从山上来的孩子，就那样坐着。在牙买加，华人和黑人谈恋爱，或者打算结婚，或者打算要孩子，这都见怪不怪。

我听许多牙买加朋友说，华人来到牙买加，最厉害的就是适应性强。华人很容易融入当地文化，开始讲牙买加土话，带有特别的中国口音。对于许多牙买加孩子来说，放学后去华人商铺，那意味着可以得到一小块糖果，或者其他什么免费赠品。店铺老板非常慷慨，对孩子们是种激励，他们的母亲也会派他们去华人商铺跑腿。

但是，事情总有两面。有牙买加人喜欢华人，也有牙买加人鄙视华人。我想，这是人性的悲剧，看到和我们不同的人，我们一定会用怀疑的眼光看待。在殖民主义背景下，怀疑可能加剧变为敌意。古老的压迫模式——有权势的人看不起那些不那么有权势的人，不那么有权势的人则看不起那些最没有权势的人——在牙买加重现。英国殖民主义者污蔑

位于牙买加的华人店铺

非洲牙买加人，非洲牙买加人瞅准明显的目标——也就是华人——来蔑视。华人拥有与之截然不同的文化，异样的传统，还有迥异的外貌。于是，奇怪的流言传开了，孩子们想象着，站在柜台后面的华人其实根本没有脚。时至今日，牙买加还有那样的故事，说中国人吃狗肉。

许多牙买加人生活贫困，华人似乎仍要感激这种贫穷引发的结果。那个时候，小镇里，甚至在金斯敦，每天生活节奏不包括要提前计划，也不包括要提前买好一个星期要用的东西。早晨，女人们亲自去商铺，或者让小孩子去，买一家人早餐要吃的东西。下午，又有孩子来到店铺，手里拿着晚饭要用东西的单子。华人店铺的店主会在一个小本子里记着每位顾客的名字和购物明细。很多时候，手头吃紧，顾客可以先拿走自己需要的东西，签个字，等下次有了钱再给，到那个时候，债务不是一笔勾销了，就是减少了。

总的来说，这种经营模式对于双方都有利，运行起来也非常顺畅。有人付不起钱，债务无法清偿，那就转嫁成了经营成本。但是，坏账其实只是特例。这种模式可行，因为每个人都在这种模式中起到自己的作用。结果，在牙买加，华人和黑人之间，有了信任，甚至友谊之花也随之开放了。

仍有矛盾和不满的时候，形势紧张，不容忽视，最终导致暴力行为。并非所有华人都是乐善好施的店主，有的华人和当地人抢工作，抢机会，有的华人做生意不老实，欺瞒自己的顾客，特别在 1918 年，以及 20 世纪二三十年代时有发生。

我查找到圣·凯瑟琳教区的一位巡警于 1918 年 8 月写下的一份报告。他生动地描述了当时的情况，社会问题升温，渐成鼎沸之势。事件起源于一位巡警"去了一个年轻女仆的房间，那女仆受雇于一位华人店主"（在我看来，这位警察实施了性侵犯，但是，报告里写得不是很清楚）。警察被店主发现了，"很显然，那个警察有些愚蠢，没有向华人表明自己的身份——警察和店主相熟——当时身着便衣"。华人店主开始打这名警察，又有几个人一起帮忙打。警察知道自己有错在先，跑出去躲了两天。"警察失踪，在当地引发热议，下层社会的人们认为，警察被那个华人杀死了。出师有名，大批民众开始在村子里聚集……开始在所有华人商铺里打人，抢夺财物。"消息传开，暴乱从一个镇子蔓延到另一个镇子，五天之后，动乱结束，十几家华人商铺被完全砸坏，外祖父的商铺并不在其中之列，但是，暴乱肯定让外祖父吓坏了，也表明了一点，在新家的生活并非总是一片宁静。

2014 年 7 月，我再次参观了外祖父在牙买加克拉伦登教区摩可小镇的房子，同行的还有堂表兄弟姐妹和远房堂表兄弟姐妹，他们来自中国

摩可小镇的警察局。当年外祖父将店铺建在警察局的对面，保证了安全

内地、中国香港、澳大利亚、英国、美国、和牙买加，来看外祖父送给埃玛·艾莉森的那栋房子，来看外祖父和埃玛·艾莉森的女儿阿黛莎和儿子吉尔伯特出生的地方。这栋房子现在还在那里，位于山上，临近警察局，是埃玛孙女的家。塞缪尔弃埃玛而去后，另一个男人进入了她的生活，继续在这栋房子里安家。就是那次参观，我们得知，塞缪尔曾经把房子旁边的一块地捐给了镇上，好让镇上盖起了小镇警察局。

我再一次偶然地发现这样一个事实，证明外祖父是多么有远见、多么有智慧的一个人。他的店铺就开在家对面的街上，就在警察局旁边。和其他华人店铺的店主不同，塞缪尔·罗从未担忧过克拉伦登教区摩可小镇的反华情绪，他的家人和店铺一直都很安全。

塞缪尔·罗是我的父亲

"这就是你的外祖父。"江明月写道,"他结婚了,也有孩子,和妻子和两个女儿一起出行。"

我正从多伦多飞往洛杉矶,同时江明月着手查找,她看了我找到的船票档案,在塞缪尔·罗的名字下面发现了他妻子何瑞英的名字,两个孩子的名字和年龄。两个女儿名叫芭芭拉·海厄森斯和安妮塔·玛丽亚,还有表兄弟的两个儿子。

母亲是有兄弟姐妹的。

外祖父回中国了,而不是去世了。

这两个事实浮出水面,我不觉得震惊,而是觉得自己的直觉得到证实,心里很踏实。像我知道自己的名字一样,我就是知道,母亲的家人就在那里,等着我把他们找到。想法得到证实之后,一扇门又被打开了,这一次我面临更大的挑战,也要回答更多问题。外祖父的两个女儿,母亲同父异母的妹妹们,也许也有孩了了。如果有孩了了,那么,他们的后代也会在某个地方。在幅员辽阔的中国大地上,这样一个家庭到底在哪里?

从客家学者那里,我得知,只有两个可能:外祖父或者去了牛湖村,或者去了罗瑞合。在多伦多,大家都跟我说,我需要找一个名叫温斯顿·罗的人谈谈。可是,他生病住院了。多伦多另外一位罗姓后人罗金生,是客家人年会的联合主席。我们找到了他,聊了一下我的寻亲计划,后来,他答应江明月,说一定会帮我。第一步,他说,是要与他在中国的侄儿取得联系，他的侄儿也姓罗，也许会有办法。

我发现了船票档案，江明月发现了其他孩子，大约同一时刻，罗金生给侄儿罗耀红发了封电子邮件，打听塞缪尔·罗——曾经的一位牙买加商人。第二天，罗金生收到回音："叔叔，我问下我的一位伯伯，看他有没有听说过塞缪尔·罗这个人，我会给你回信。"

我曾经设想，可能要几经周折，几经转手，然而这一次，帮忙的人碰巧就住在中国。

两天后，我还在为新近的发现而欢呼雀跃。我走到电脑前，毫无心理准备，不知道有什么等着我，打开和别的电子邮件没有什么不同。

罗耀红向自己的叔公罗早舞打听了塞缪尔·罗的事。我收件箱里的回信是这样的：

"我叔公说，塞缪尔·罗是他的父亲。"

罗耀红的叔公说，塞缪尔·罗是他的父亲。

母亲的弟弟还在世。

我找到他了。

我找到了我的舅舅。从舅舅那里，我会找到塞缪尔·罗。

然后，找到我的中国家人。

这是真的吗？是不是那个和母亲很像的女人——奥运会期间，我在北京街头看到的女人——被上天派来指引我一路走来？

你知道自己是黑人吧？

年会以后，我返回洛杉矶，又是极度兴奋，又是目瞪口呆，又是不知所措，又是心满意足。我等不及要跟罗斯福说说所有发生的事。罗斯福是位艺术家，来自新奥尔良一个欢乐大家庭。他成长过程所经历的——父母尽职尽责，旧式婚姻，关系良好——和我们的经历真是大相径庭。他有三个兄弟，一个姐妹，他们互相帮衬，一起玩耍，上演着兄弟姐妹之间可以想见的戏码。我和罗斯福在一起将近三十年了。没有人能像罗斯福一样让我感到稳定，成为我生命罗盘的方向标。

他以一种超然的态度陪伴我的寻亲之旅，但是也不无关注。我知道，他是想保护我，万一我痛苦失望，与此同时，我也看到，有事即将发生，他在试图解决那个问题。

我回家后的一天早晨四点钟，我和丈夫跳进热水浴缸，为了说说话，也为了维系感情。我激动不已，想着这次出行有可能完成夙愿。我告诉他，关于年会，关于与会的人们，关于成为宫家人经历的一部分，关于江明月和我在船票档案里的发现。罗斯福一边啜着咖啡，一边听我讲。

"你知道。"他说，"现在这已经变成一种激情，几乎耗尽所有精力。"

"绝对的！"我说。也许，我有点儿疯狂，我似乎到了一种感情状态，接下来，只有落地的可能性了。

罗斯福继续说。

"葆拉，你希望接下来发生什么？"他问。

"什么意思？"

"当你找到你在中国的亲人。"他继续说道，"你希望接下来会怎样？"

我开始琢磨，这对话的目的是什么。"我不知道。"我说，开始慢慢回到现实。"你想问什么？什么意思？"

他看了我几眼，那神情很典型，属于我的罗斯福，如假包换。"亲爱的，"他问道，"你知道自己是黑人吧？"

我看着他，满怀疑惑，却不服输。"对。我知道自己是黑人。"

他显得有些犹豫，仿佛害怕再多说些什么，仿佛害怕说出下一个观点。对于未知，他表示担心，担心我真的会找到我的家人，找到塞缪尔·罗——找到尚在世的家人。如果，我真的成功寻到家人的下落，家人作何反应，也未可知：面对我的存在，家人将有何种反应。有那么一种可能性，实际上，十有八九，我的中国亲人并非跟我一样热衷于寻找失散多年的亲人——失散多年的非裔美国亲人。也许，他们看到我是一个非裔美国女人，不肯认我。在此之前，我从未有过这样的想法。水蒸气模糊了眼镜，我——皮肤姜黄色，梳着非洲圆蓬式发型——坐在浴缸里，寻思着，第一，他为什么跟我说这些话；第二，我自己怎么从没想到呢，这真是令人震惊。

我停了一下，慢慢地吸了一口气。"我想，我是他们的家人，他们是我的家人，那么，我们都是一家人。这就是我所有想法。"

他微微点头，眼睛里有一种柔情。就在那时，我意识到，他之所以那样问，是出于他对我的爱，是因为他想保护我，也跟他的经历有关系，他在那样一个种族主义横行、种族分裂盛行的美国社会长大。我意识到，他在帮我进行心理建设，我有可能会失望，我有可能遭受打击，他在帮我减轻痛苦；他让我那寻亲的热情降低几度。

他似乎懂得，在我心头萦绕的一些问题，时间会给予答案。他对我说："你对这事满怀激情，你的确想这么做。但是，最后结果未必如你所愿，未必与你梦中的情景一模一样。"我知道，他这是想帮我，为我着想，是在履行一个丈夫的责任。几十年来，我一直信任他。

但是，我身体的每一个细胞，都确定几个绝对真相：

我不需要担心。

我是罗氏后人。

我是非裔美国人，我是华人。

母亲的面孔是华人面孔。

母亲的脸上有和善与保护，有骄傲与失望。

母亲相信一条准则："家庭至上。"母亲也是按照这准则生活的。

母亲的家人想要知道我的经历，就像我想知道他们的经历一样。

有志者，事竟成。

　　　　　　　　　　　　　　——中国谚语

创造财富 和睦家庭 崇文重教

没有回头路

2012 年 8 月，深圳万豪酒店，我在自己的房间里，我颤抖着，室内温度华氏 73 度，室外 80 几度，显然，这颤抖与气候完全无关。耀红刚给我打了电话："葆拉，你在哪儿？我和舅舅还有姨妈在这儿等着见你。"

我和密友玛西娅·海恩斯计划过几次中国之旅，通常都与美食、购物和音乐有关。这一次中国之行本该也遵循一贯风格，直到我收到了耀红的电子邮件。他在邮件中说，我的舅舅十分愿意和你见面。接着，一切都变了。我和玛西娅知道，北京之行以后，我们会去深圳。

在北京期间，想着快要见到家人了，还有三天，两天，一天，这种想法总是在奇怪地不时触动我：吃早饭的时候，我和玛西娅看鞋的时候，在我即将入睡的时候。或者，一觉醒来，这都是我立刻想到的事。等我们到达灯火辉煌的北京机场，我既紧张，又兴奋。

我们办理登机手续后，我看着信息牌，发现我们的航班会晚点一个小时。我一向守时，甚至有些强迫症，即使航班延误显然超出我的控制范围，这一次也有特定意味。这次会面，不仅我要再等一个小时——这么多年，再加一个小时？——但是，更为重要的是，上年纪的舅舅和姨妈还得等着我，这可不行。我给早舞舅舅的孙子旭辉发了封电子邮件，告诉他，舅舅和姨妈得晚些时候再到酒店，我不想让他们在大堂里等我。

写下这些话的时候，我在想：我在中国，除了玛西娅和我一样是黑人，我周围的人都是中国人。我周围全都是中国人——商人行色匆匆；年轻

寻找罗文朝
从哈莱姆、牙买加到中国

的母亲推着婴儿车；大学生身穿 T 恤衫，背着背包，那是他们典型的打扮；年纪大一点儿的夫妻拿着小包；年轻女性打扮得很时髦，发型整齐漂亮，又很摩登，在用手机打电话——他们所有人都从北京出发，去往其他城市，他们都没有意识到我的存在——他们为什么要在意两个黑人女游客呢？我越来越意识到，我与每个人都有联系，这一点我突然想到。我到那儿，是要去见家人，当然，这他们不会知道。我与家人取得了联系，家人和我周围的同行旅客们长得很像，一股自豪感由然而生。我是他们的一分子，我从一位游客转变成本地人。

旭辉正在上班，立刻回复了我的邮件，同意试着让家里一行人晚点儿出发。他们要把阿黛莎姨妈和早舞舅舅送到酒店。即使旭辉不在这一行人当中，在接下来几天，我也会见到他。迟了一个小时的航班终于起飞了，着陆很顺利。我并没有跑着去抢出租车，但是，我可以感觉到，内心的兴奋感正在与时俱增。幸运的是，我想，等我们到了酒店，我会有时间稳定情绪。

出租车司机在万豪酒店停车，酒店的大厅有熟悉的西方便利设施，又有点儿中国味道，中西合璧，令人惊喜。我办理了入住手续，把包拿到房间里，想要花一点时间洗漱一下，目的是给我的家人尽可能留下好印象。

我在房间里待了还没有三分钟，电话就响了。

他们正在大堂等我。他们找我！我已经请旭辉让他们晚点儿到了，但是，那根本不可能。看来，他们迫切地想见我，就像我也迫切地想见他们。我一生中，重要会议无数，但是，绝对没有一次会议如此意义重大，如此影响深远，如此能改变一生。

我觉得自己没有准备好。

我不能迟到。

我给玛西娅打了电话。"他们到了。"我说，声音里满是焦虑、兴奋、急切、幸福。她从未见过，或者听出来，我会这么措手不及。"瞧。"她说，"我梳洗一下，然后，我们在楼下那里见面。"（我也是这么想的么？）根本没有时间那样，没有时间熟悉，没有时间换衣服，没有时间拿上我想带的东西，比如我专门为了这个场合买的索尼录像机。我记得要带上文件和母亲的档案，那个七英寸长五英寸宽的皮质信封，里面装着内尔这些年来的照片；要带着包和房间钥匙。

我还得收拾起自己的各种感情。"别抖了。"我这样命令自己的双手。

我自己一个人乘着电梯向下走。三十三楼……妈妈，他们来了。二十九楼……外祖父，你在天上看着我么？十八楼……他们来了。你的孩子们将会见到你的外孙女。十楼……外祖父，妈妈，你们握着手么？外祖父，你在抚摸妈妈的脸么？我能感觉到，你们两个都在微笑。五楼……我能感觉到你的喜悦之情。神啊，我什么时候这么紧张过。

大堂。呼吸。

我很好。不抖了。

电梯门开了，我的脚不由自主地往前走。一步，一步，一步，一步，转个弯，一步，一步。一位男士，头发灰白，和我年纪相仿，朝我走过来——很明显，我不是那么难找。"葆拉？"他微笑着问，"我是耀红，这是你的舅舅和姨妈。"

我看到一位男士，举止优雅，较为年长，骨架纤细，面孔有着贵族气派，笑容和蔼，慢慢朝我走来。早舞舅舅张开双臂，我觉得被拥抱着，很有安全感，虽然我比舅舅高整整五英寸。不知为何，之前的种种忧虑，紧张，想要好好准备，想要给他们留下好印象，这些都显得十分可笑。这是真的，我和母亲——我那几乎过着孤儿般生活的母亲——的血亲骨肉会面了。我们一起走到大堂，其他人都聚在那里，严格按照次序，围坐在一张颇

早舞舅舅和阿黛莎姨妈第一次见到我，尽管有些疑惑，但还是非常亲切

我第一次和罗氏家人相认，拿出了我准备的资料

温小泉和罗耀红帮我联系到我的中国家人

第五章 创造财富 和睦家庭 崇文重教

具中国风的咖啡桌旁。

阿黛莎姨妈坐在沙发中间，她身材娇小，有着母亲一样的浅棕色皮肤。她头发灰白，虽然天气非常暖和，她还是戴着一顶小毛线帽子。姨妈已经九十三岁高龄，却丝毫不费力就站起来，真是令人惊讶，她紧紧地拥抱了我。那力度，我实在难以想象她真的可以。没有不确定，没有束缚——似乎，她要确定我是真的，而不是什么幻影。

阿黛莎姨妈知道自己有个弟弟，名叫吉尔伯特，被留在了牙买加。对于姨妈来讲，有家庭成员，她从未谋面，这成了她生活的一部分。这个时候，她也许把我当成弟弟吉尔伯特的孩子，不过，这没有关系。姨妈又坐下了，脸上洋溢着幸福的笑容。陪着她一起来的，有他的小女儿和小儿子，还有她的女婿，这些晚辈坐在她的左边，也有人坐在沙发扶手上。

早舞舅舅坐在阿黛莎姨妈的右手边，旁边是我的表兄弟表姐妹。我在右边紧挨着他们的位子坐下，与他们的沙发成直角，与早舞舅舅只有一只手臂的距离。他的女婿、孙女婿，还有耀雄的儿子罗子扬（英文名斯坦利）都找地方坐下了。我环视四周这十个人，不同的肤色，不同的年龄，不同的关系，我想着那不可思议的故事是怎样把我们聚集到一起。有人点了茶，茶放在桌子上了。

为了确保我们能够交流，我请了一位会讲中文的翻译。我并不知道，罗子扬曾经就读于德克萨斯大学奥斯汀分校，也不知道早舞舅舅的孙婿陈嘉鑫（英文名加里）曾经就读于马萨诸塞大学。实际上，罗子扬在中国的小学、中学和大学都学习英语。这是全新的中国，年轻一代在全球化背景下生活，不再身处与世隔绝的社会。

我们互致问候——他们问了我和玛西娅旅途如何，我问了他们此行如何——我们却急切地想开始最终相认的过程，开始那巩固纽带的过程，亲情的纽带被割断了将近一个世纪。我这边，收集了一厚摞报纸文章，都是关于外祖父，刊登在牙买加的《拾穗人日报》上，还有出生在牙买加的各位叔叔阿姨的出生证明，我在 ancestry.com 上做的家谱，1927 年"锡克绍拉号"轮船的旅客名单和 1933 年"阿德拉斯托斯号"轮船的旅客名单。

　　这两艘轮船都从牙买加驶向香港。"锡克绍拉号"的旅客名单上写着：塞缪尔·罗，三十八岁，商人；何瑞英，二十六岁；阿黛莎，八岁；罗早英，四岁；罗早舞，两岁；罗早刚，一岁。这次旅行，是要把这些孩子送回中国，请中国亲戚把他们抚养成人。1933 年"阿德拉斯托斯号"的旅客名单上写着：塞缪尔·罗，四十二岁（真实年龄为四十四岁），商人；何瑞英，三十二岁，已婚女性；芭芭拉·海厄森斯，一岁；安妮塔·玛丽亚，五个星期。这是外祖父最后一次回中国的乘船记录。

　　阿黛莎姨妈和早舞舅舅被这些文件迷住了。我找到的一些网站和档案，比如脸书和推特，在中国用不了；没有什么记录可以帮助他们把我和有关海外华人亲戚联系起来。我也不会说他们的语言，但是，他们的面部表情和姿态动作，他们看到这些记录时的那种惊讶和欣喜，实在无须多言。姨妈拿出自己的出生证明，跟我递给他们看的那份一模一样。实际上，阿黛莎姨妈和母亲其他在世的兄弟姐妹都有自己的出生证明。20 世纪 70 年代，中国的规章制度比较宽松，一些家庭成员向牙买加户籍总署申请，索要自己的出生证明，然后，在中国收到自己的出生证明。

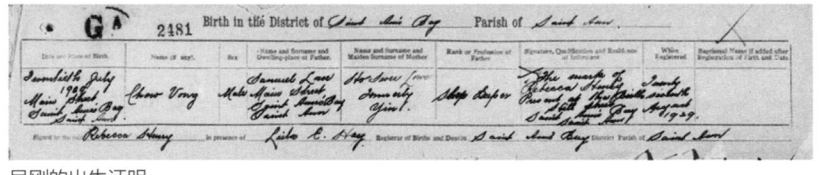

早刚的出生证明

2012年我和罗氏家人，包括早舞舅舅和阿黛莎姨妈第一次见面

有的时候，我们都在说话，几个会说英语的亲人不知道该给谁翻译，这几乎不重要。这可不像威廉姆斯家的家庭聚会，我和哥哥们会把子孙们聚到一起，有时候会大嗓门讲话，吵吵闹闹，兴奋不已。这里，姨妈和舅舅尊严端庄，沉默寡言，基调是全然喜悦，又有所克制。我们会互相看着，微笑起来，这就足够了。接着，对话又开始了。

"早舞舅舅，"我问，"你有外祖父的照片么？我有几张母亲的照片，可以拿给你看看。"舅舅拿出马尼拉纸制信封，里面装着两张发黄的老照片。我低头翻看其中一张，看到一位年轻的中国男子，面容严肃，身着西式三件套，打着黑色领结，旁边是他的妻子，穿着浅色上衣和长裙。他们坐在那里，有一定距离，端庄稳重，他的妻子腿上坐着一个婴儿。还有两个小男孩，穿着短裤，站在父母身边，表情严肃。这张全家福是

早舞舅舅在我们第一次见面时拿出来给我看外祖父年轻时的家庭合影

在中国拍摄的，上面有外祖父，他的妻子瑞英，他们的孩子早英、早舞、早刚。

我认真打量塞缪尔的脸庞，那是一个三十多岁的男子，头发仔细地梳到一侧，眼睛炯炯有神，举止非常优雅，也非常沉静。我端详着这年轻的一家人，突然间意识到，拍这张照片的时候，塞缪尔的大女儿，也就是我的母亲，正在牙买加的某个地方。那个时候，母亲十二三岁，正卖力干活儿，被她的外祖母虐待，心里嘀咕着，她的父亲，那个和蔼的中国男子去哪里了。

我接着看第二张照片，那是一张特写，外祖父头发灰白，表情严肃，长相俊美，没有打领带，却用了中国领。我仔细端详外祖父的脸庞，我活了六十年，很多时候都在想象这张脸，种种迹象让我想到另一张脸，我这辈子一直熟悉的脸。我递给早舞舅舅几张母亲内尔·薇拉·罗的照片，他看着母亲的照片，神情温柔。他对我们家庭联系的任何疑虑都消失了，他微笑着，把母亲二十七岁时的照片递给姐姐阿黛莎。他用客家话说了些什么。耀红点点头，笑了，随后，跟我说："他说，她很像他，她长得很像他们的父亲。"

是的，早舞舅舅，我知道，母亲长得像外祖父。我的母亲，内尔·薇拉·罗·威廉姆斯终于认祖归宗了，无须任何文件，她的血脉重新接上了，就在 2012 年 8 月，就在深圳万豪酒店。

寻找罗定朝

从哈莱姆、牙买加到中国

阿黛莎说了算

　　照片非常简单：两只手。一只手来自上年纪的人，苍老，像是褪色的羊皮纸的颜色，小指上留着长长的指甲。另一只手来自年纪稍轻的人——不是小孩子的手，却是中年人的手，三十岁到六十岁之间——而且是淡棕色。上年纪人的手放在年纪稍轻的人的手上，充满爱意，紧紧握着，似乎为了保证，过去的岁月已经失去，未来的岁月绝不会再失去。一只手是阿黛莎姨妈的，她是母亲同父异母的妹妹，与母亲同一年出生，那是1918年。另一只手是我的。那是2012年8月，我们第一次见面。再过一个星期，就是我六十岁生日。阿黛莎姨妈当时九十三岁高龄。

　　一共七个孩子。早舞舅舅让耀红在早些时候的电子邮件里说：塞

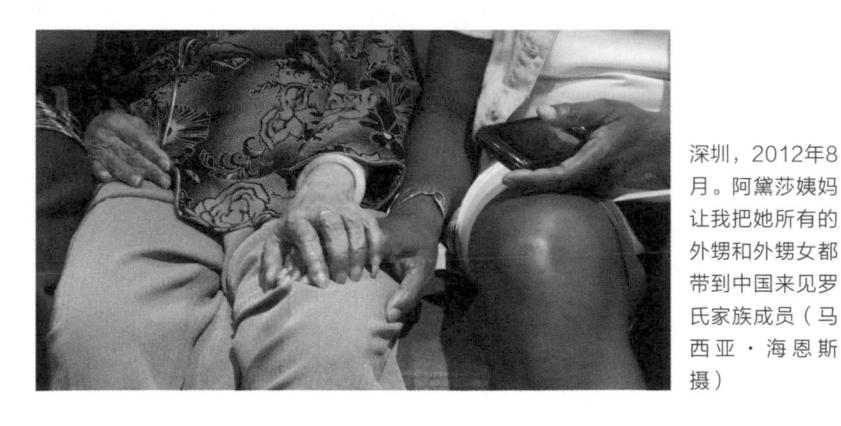

深圳，2012年8月。阿黛莎姨妈让我把她所有的外甥和外甥女都带到中国来见罗氏家族成员（马西亚·海恩斯摄）

缪尔·罗有七个孩子，没有叫内尔·薇拉·罗的。我回信说，母亲大约十六岁的时候，去过她父亲的店铺，当时，她两个叔伯告诉她，塞缪尔·罗已经回中国了，不会再回来。我也提到，我正在计划一次中国之行。早晨，我急切地查电子邮箱，看到有一封回信，来自中国。

亲爱的葆拉：

　　我叫罗旭辉，是早舞的孙子，早舞是塞缪尔·罗的儿子。早舞现居深圳。塞缪尔·罗是我的曾祖父。我刚跟祖父聊过，他跟我讲了塞缪尔·罗的故事。祖父想见一见你，就在 8 月 14 日，深圳。

　　现在，我们都在这儿了。早舞舅舅和阿黛莎姨妈，这两位是母亲同父异母的兄弟姐妹，他们正安静地端坐在这舒适的西式酒店的大堂里。我端详着他们两个人的脸，在他们的脸上我能依稀看到母亲美丽的容颜。在八十四岁的早舞舅舅脸上，我看到了母亲的笑容；在阿黛莎姨妈脸上，我看到了母亲的双眸。子孙都在场，我的两位表亲陈嘉鑫和罗子扬，一个二十多岁，一个三十多岁，聪明透顶，精通语言，扮演着翻译的角色。

　　我发现，我们家族的姓氏有很多变体——Luo、Lowe、Law、Lo——这要看把中文翻译成哪种文字了。中文书面语是一种字符型语言，和西方的字母完全不同。这些字符可以转化为西文字母——也就是用罗马字母拼写——有很多种形式（其中一种拼写被称为拼音）。1905 年，外祖父在香港码头登船，他当时肯定跟船上的英国工作人员说自己的名叫罗定朝，也可能发成"Lowe Ding Chow"的音（工作人员决定给这个劳工起名为"塞缪尔"，于是，外祖父的名字就被记录成"塞缪尔·罗"）。要是讲另外一种语言的人听到我外祖父的名字，可能会拼成"Luo"；另一种语言的人可能拼成"Law"或者"Lo"。这些西文字母的不同拼法，

寻找罗定朝
从哈莱姆、牙买加到中国

在中国人看来，毫无意义。因为在中国，罗这个姓氏在书写系统里只有一种形式。

我得知，塞缪尔·罗在中国的子女——加上我的母亲，一共八个人——阿黛莎、我的母亲还有阿黛莎的弟弟吉尔伯特，他们三个人的母亲是牙买加人。瑞英想让自己的亲生孩子拥有家中长子的地位，所以，她让塞缪尔把吉尔伯特，也就是真正意义上的长子，留在他生母埃玛·艾莉森的身边，留在牙买加。阿黛莎再也没有见过吉尔伯特，但是，她思念弟弟，一辈子——这种思念，我最懂。她从来不知道，世界上还有我母亲这个人。

这导致了一点点混乱。

阿黛莎姨妈不太明白，在她之前，还有个姐姐，内尔·薇拉·罗，父亲的大女儿，而我正是那个孩子的后代，我是塞缪尔·罗的外孙女。阿黛莎姨妈不太明白，她的父亲怎么还有另一个女人。更不要说，这事发生的时候，她的父亲正和她的母亲在一起。这让她难以理解。

阿黛莎姨妈却非常确信，我是她弟弟吉尔伯特的女儿。吉尔伯特，她知道。她从小时候就知道，自己有个弟弟，被留在了牙买加，弟弟和自己一样，也是有一半黑人血统。阿黛莎姨妈下了结论，眼前这个从美国来的黑人女性就是吉尔伯特的女儿。为了让阿黛莎姨妈明白我是谁，我为什么是她的外甥女，这花了些时间，说了好几遍。

阿黛莎姨妈揉着我的手，声调温柔，却很有力，用客家话说："这么多年，我们血亲分离，绝不能再失去联系了。"

"对，阿黛莎姨妈。"我含着眼泪说，"绝不。"

接着，出乎意料，她热切地说："你必须把每个人都带到这儿来。"

每个人？

从感情方面讲，尽管我有些不知所措，但我的前额叶皮质很发达，负责各种运算，立刻开始行动。我知道，阿黛莎姨妈所说的每个人，是

第五章 创造财富 和睦家庭 崇文重教

指哥哥艾瑞克和他的儿子陈，哥哥霍华德和他的三个女儿以及外孙，我丈夫罗斯福，我们的女儿伊玛尼，还有伊玛尼的儿子伊德里斯。我想象着，要把至少十七个人从全美各个地方聚集起来，协调每个人复杂的时间表，当然，我能行。那是 2012 年 8 月，也许我们能在 2013 年 1 月成行，就当是提前进行暑期家庭聚会，还能在中国度假。

"当然，"我回答说，"当然，我会把每个人都带来。"

"什么时候？"她问道。

我一想，就把好几个月计划出去了，这太荒谬了。我是跟一位将近九十四岁高龄的老人讲话啊，老人家已经比同龄人活得长久了。不能再等了，我们必须在圣诞节成行。

"好的，"我说，"今年年底。"

"什么时候？"她又问。她是个姿态优雅的谈判人，我的阿黛莎姨妈——意志坚定，全神贯注，不达目的，誓不罢休。我欣赏这一点，我能感觉到我们之间的血缘关系增强了，别人一直认为我是个相当不错的谈判人。

"好的，"我说，"12 月。"

"好的。"她说。

她攥了攥我的手，看着我，她的脸上洋溢着温柔与幸福。她很矜持，也欣然接受。她这个人，为人处世方式，我十分熟悉。我能感觉到，母亲就在我们周围。

12 月 23 日将是阿黛莎姨妈的九十四岁大寿，我能看得出，我终于给了她正确答案。

母亲会多么想认识阿黛莎啊，那么沉静如水的一个人，那么水晶般透明的一个人。她们两个人似乎都有同样强的母性能量，生出的孩子也一样能干。阿黛莎婚姻幸福，但是，当我们终于见面时，她的丈夫离她而去已经有三十一年了。1979 年，她的丈夫离世，享年六十三岁，留下她和五个孩子。

两姐妹——内尔和阿黛莎——从不认识彼此，从来不知道彼此的存在。她们中间，相隔大陆和海洋；两个人际遇不同，彼此难以想象。阿黛莎怎能想象母亲在哈莱姆区的日子——贫穷和危险，四周环绕，与父亲时有冲突，纽约这样的城市环境？我的母亲怎么能想象，一个小女孩，从牙买加被带到中国，有三个中国弟弟和两个中国妹妹，这些孩子都是她父亲和何瑞英结婚之后所生的，但是，她与尚在襁褓的弟弟永远分开。

离开牙买加时，阿黛莎还是个孩子，她仍留有牙买加护照和自己的出生证明。1927 年，她的父亲和他的中国妻子把阿黛莎和三个弟弟带回中国，安置在妻母家里。夫妻二人回到牙买加，又生了两个孩子，芭芭拉·海厄森斯和安妮塔·玛丽亚。对于父亲生活过、工作过的岛，阿黛莎姨妈只有极其模糊的记忆。她被培养成勤劳有尊严的中国女性，但是，她和内尔是血亲，正如一句客家谚语，血缘是根，文化是魂。

阿黛莎姨妈握着我的手，此刻她非常依恋我，其强烈程度，正如她确信，未来的日子里，我们会在一起。

吉尔伯特的生命之旅

　　阿黛莎姨妈的弟弟吉尔伯特留在了牙买加。塞缪尔·罗的妻子拒绝把吉尔伯特带回中国，拒绝接受吉尔伯特成为家中长子。她必须把长子地位留给自己的亲生儿子早英，事情就是这样，虽然她接受阿黛莎成为自己的女儿。个中缘由没有明说，但是，很明显：根据中国传统和社会习俗，女儿并非和儿子一样重要，特别是长子，女儿根本没得比。实际上，长子的重要性在中国文化中比比皆是。吉尔伯特看上去更像牙买加人，不那么像中国人，根本没法让别人相信瑞英是他的母亲。这就意味着，别的女人，而且还不是中国人，将会占据长子母亲的荣耀地位。要让瑞英放弃自己和儿子的地位，拱手相让给吉尔伯特，这绝不可能。

　　于是，和我的母亲一样，吉尔伯特被留在了牙买加。和我母亲不同的是，他和父亲的家庭保持着联系：他被留在圣·安斯贝城，由父亲的侄子莱斯利·罗将他抚养成人，和莱斯利的九个孩子一起生活。吉尔伯特从未来过中国，也不知道，自己有位同父异母的姐姐生活在同一个岛上。塞缪尔·罗有八个孩子，吉尔伯特有十个孩子——大部分留在牙买加，几个搬到纽约。吉尔伯特去世时还很年轻，我根本不知道他的存在，直到我开始寻亲之旅，遇到了一个人，这个人认识某个人，而某个人又在牙买加认识另外一个人，另外一个人又认识吉尔伯特的家人。

　　直到六十岁，我才知道，有位叫洛兰·罗的嫡亲表妹，与她的两个妹妹安妮·玛丽和安德烈娅住在布鲁克林。我和洛兰虽然同是外祖父的后代，一生中大半时间却分隔两地，我们之间并非像中美之间隔着万里之遥，而是乘坐十五英里地铁就可到达。我动身出发去中国前约一个星期，才得知洛兰的存在，那个时候，没有时间跟她好好聊聊。但是，见过阿黛莎姨妈之后，看到姨妈是那么想找到弟弟的后人，当阿黛莎姨妈坚持让我带家人来访时，握着她的手，我知道，我必须跟洛兰聊聊，要把她带到中国。

我在深圳给洛兰打电话，洛兰本人接的，我介绍了自己。她显得有些犹豫，但是，我刚刚见过亲人，热血沸腾，早舞舅舅和阿黛莎姨妈年纪都这么大了，我有一种紧迫感，必须向前推进。我告诉洛兰，阿黛莎姨妈和她的父亲吉尔伯特是一母同胞的亲姐弟，是我们的姨妈。我告诉她，将近九十四岁高龄的姨妈想看看弟弟的后人，见个面，拥抱一下弟弟的后人。我告诉洛兰，我已经答应阿黛莎姨妈，12月要带着所有人去中国，我问她：你家几口人？

洛兰似乎听迷糊了。中国？五个月内？她觉得，这么短的时间，这么远的路，自己的家人怎么能成行？

"洛兰，"我说，态度坚定，"阿黛莎姨妈真的已经上年纪了，她以为我是你，以为我是你的姐妹。阿黛莎姨妈真正想见的人是你——不是我，一个星期之前，她甚至从未听说过我的母亲。你们一家人，才是阿黛莎姨妈一直寻找的亲人，才是阿黛莎姨做梦都想见的亲人。让这个梦变成现实吧！和你的兄弟姐妹谈谈，就算不能都来，你家必须有人来。"

我让洛兰开始着手准备。我说，几天后等我回到美国，我会再打电话给她。后来，有一次一起闲聊，洛兰告诉我，她从来不敢相信会接到那样的电话，会有那样的计划，会有那样的行程，简直就是从天上掉下来的。

但是，她不知道外祖父和我母亲的力量有多么大，他们从另一世界里推着我一路向前。

我内心些许不安，觉得很奇怪

早舞舅舅现在是中国罗氏家族的族长，是位颇受爱戴的长者，是塞缪尔·罗和何瑞英的第三个儿子，是给我起汉语名字的亲爱舅舅。他1925年11月出生于牙买加。"每个人都知道，我的父亲还有两个孩子。"他说，"一个姐姐，名叫阿黛莎；一个哥哥，名叫吉尔伯特。"罗氏族人知道，这两个孩子的母亲不是中国人，而是牙买加人。

还有两个孩子……

在罗氏族人脑海里，在罗氏家族故事里，我的母亲从未存在过（我觉得，类似的事情，我们也经历了，在母亲的故事里，在母亲对自我的认知里，在母亲对地点的感知里，七个弟弟妹妹也从未存在过）。接着，突然之间，对于我那舅舅来说，对这位沉静的长者来说，一切都变了。他的生活也有起起伏伏，他的生活也有伤痛和差强人意，但是，他的老年生活其实平静而又富足——突然之间，几扇门忽然打开，通向一个他从未知晓的世界。他得知，有一个外甥女，正在寻找亲人。

那位外甥女是个美国黑人。

那位外甥女是他大姐的女儿。那位大姐，他从不知道她存在过。

在他的大家族里，又添了兄弟、下一代、孙子辈和曾孙，肤色是不同程度的褐色，眼睛颜色也各不相同。

我太过专注于体会这一发现，直到现在，时间和空间让我与那兴奋的状态暂时分离开，我才能审视我们的出现在中国亲人的生命中所引起的巨大变动。我收到早舞舅舅的孙子写来的电子邮件，他告诉我，早舞舅舅想见见我。但是，我从未意识到，这盛情邀请的背后，有些许怀疑，至少有些许担忧。

舅舅、姨妈和表亲们去深圳和我们见面之前，舅舅跟在广州的弟弟早刚谈了谈，说自己有些怀疑，被弄糊涂了。"因为我们不知道有这么个大姐。我们第一想到的是：奇了怪了。怎么还会有另一个大姐？我们有个大姐，她的名字叫阿黛莎，爸妈把她从牙买加带回中国的家里。可是，另一个大姐？我内心些许不安，觉得很奇怪。"

他当然会觉得心神不宁。实际上，还有两个女人出现在他父亲的生命里：我的母亲——他同父异母的姐姐——还有那生下她的女人，这样的发现对他会造成多么大的打击啊。塞缪尔·罗有其他女人，这并不令人惊讶，他三十二岁结婚，在埃玛·艾莉森进入他生活之前，他也肯定不可能禁欲。结婚之前有个情人，这是一回事，但是，像塞缪尔·罗这样的男人，一个客家人，视家庭高于一切，这样的男人怎么可能还有另一个孩子？而且，把这当作秘密，不让他那人丁兴旺的中国家庭知道？早舞舅舅甚至打电话给加拿大的亲戚，问他们有没有听说过这位神秘的姐姐。

舅舅强烈要求我带着牙买加出生证明和其他我能拿到的证据。他和阿黛莎姨妈还留有牙买加出生证明，1990 年，他们一起申请了牙买加护照，希望可以重返他们父亲生活过的地方，那个他们出生的地方，也许还想要看一看他们父亲之前开的商铺和住过的地方。我们见面时，比较了出生证明和其他文件。我看到外祖父的英文名字和汉语名字：塞缪尔·罗和罗定朝。

我们聚在一起，他们也毫无疑虑地接受了我。早舞舅舅拥抱了我，阿黛莎姨妈知道我们是血亲。我们是亲人，到底什么加强了舅舅的感知，不那么明确，并非文件，而是共同的理解力。进一步加强的是我的寻找过程。我坚持不懈，不屈不挠，舅舅对此表示赞赏，客家人看重家庭的首要位置和重要性，我可谓继承了传统。

寻找罗定朝

从哈莱姆、牙买加到中国

罗瑞合

　　罗氏家族祖居在一个叫罗瑞合的村子里。与阿黛莎姨妈和早舞舅舅在中国见面之后，我知道，我必须去这个村子，去看一看家族的发祥地，我要走一走外祖父曾经走过的路。罗瑞合祖居名为"鹤湖新居"，叫这个名字的住宅现在是座公立博物馆（省级文物保护单位——译者注），以前祖屋是一座有围墙的建筑，族人就住在这个建筑里。

　　我们第一次在深圳万豪酒店大堂见面的时候，我问早舞舅舅，是否愿意第二天和我们一起去罗瑞合。舅舅八十四岁高龄了，我们在一起待了一个小时，一起看了那些照片，他得知自己有个姐姐。来这次家庭聚会路途遥远，这让舅舅显得有点疲累。兴奋如我，我也觉得情感上的疲倦让我有点失去平衡。舅舅又会如何呢？我想象着，在他安静的面容下，在他那谦和的态度后面，肯定心潮澎湃，耗费心力，一时难以接受。他是罗定朝的第二个儿子，在世的儿子中年纪最大的，现在是家族的族长，在这闷热的八月，就在和一个从美国来的高个子褐色皮肤的女人喝茶时，对自己的父亲有了进一步了解。

　　怎么可能还有一个大姐？阿黛莎，或者"大姨"，一直是他的大姐姐，像母亲一样照顾他，数落他，让他牢记自己对家庭的责任——正如父亲灌输给他们的。正如她自己一直遵守的，事事以同父异母的弟弟妹妹为先。阿黛莎坐在酒店大堂的沙发上，在他旁边，神态安详，脸上没有惊讶，没有不相信。她是他的大姐。现在，又有一个比大姐还大的姐姐？内尔·薇

鹤湖新居外观

位于鹤湖新居内部的罗氏通谱

拉·罗，父亲怎么可以不跟他们说自己和别的女人生了个长女？罗定朝有两个牙买加或者"当地"伴侣，没有人担心这事。像艾伯塔和埃玛，没有法律上承认的婚姻，却还是妻子，在中国，这被称为伴侣。在中国——牙买加也一样——中国店铺主人可以有许多"妻子"，只要能养得起。早舞的父亲塞缪尔·罗，生意兴隆。塞缪尔·罗在摩可小镇开的店铺，埃玛·艾莉森跟他一样，也称得上是主人。他在金斯敦开的店铺，艾伯塔是他的伴侣，和他以及他们的女儿住在一起。两个女人都为他生了孩子：内尔、阿黛莎、吉尔伯特。早舞现在琢磨着，但是为什么父亲不告诉自己和埃玛与瑞英生的孩子们，为什么不告诉他们，还有个姐姐，那是他的长女？

早舞舅舅想着，得出了结论，他们的父亲一直寻找小内尔，却未遂。自己生活的这一部分，父亲就没有跟孩子们提起。正如我母亲的叔叔们告诉她的，从1921年到1933年，塞缪尔·罗从未停止过寻找内尔，但是，为什么要说这么伤感的事呢？他没有告诉自己的子女，他还有个女人，还有个女儿，他们还有个"大姨"。

我想，舅舅面露疲态，是因为化力气解密这不曾说的故事，那未曾谋面的姐姐——伤感，生而失去爱，失去家庭，失去梦想；又一个罗家人，失去联络，没有被亲人围绕。和他们的哥哥吉尔伯特一样，内尔一直是失去的亲人，对于早舞舅舅来说如此，对于早舞舅舅的兄弟来说如此，对于早舞舅舅的姐妹来说亦如此。"她和父亲很像。"他说，几乎被她的照片迷住了。

"舅舅？"我问，"舅舅？"我轻轻触摸他的小臂，希望能带领他走出思绪的迷宫，回到现实。他转向我，笑了。像我后来一直期待的那样，不管什么时候看着我，他眯起眼睛注视我，那种神情，透着好脾气，透着对我的接受，那神情似乎在说，"我在这儿，我知道你是谁，你是罗家人，我是你的舅舅，你是我的亲人，别担心。"我在他那有些疲倦的脸上读出这个意思，他已经想通了，不会再动摇。

他定力惊人，显然很高兴。他的笑容显示出相当的心满意足。我问他，是不是精力还行，还能去村子。他坐直了身子，看上去非常惊讶，别人居然以为他会不和我们一起去。这么重要的出行，他怎么能不去为我们当向导？

"当然！"他说，面孔因为激动而显得神采飞扬。"那是我的村子，我在那里长大。"他继续说，拍着胸脯，强调每一个字。"我会带你们去那里，看看你们外祖父从哪里来。村子里的人，可不认识这些家伙。"说着，他挥了一下手，桌边围坐的好些年轻一代，都被他包括在内。他看着我的眼睛，表情生动，充满了朝气。"村子里的人都认识我，那是我的村子，"他说，"我会带你们去的。"

阿黛莎姨妈微笑着，包容着精力充沛的弟弟。但是，我看得出她脸上的倦意，内心一阵焦虑，想到姨妈第二天还要乘车九十分钟回广州的家。我们拥抱、亲吻、道别。我和阿黛莎姨妈拥抱时，我能感觉到她那么年老，那么脆弱。我意识到，可能再也见不到她了。她只比母亲小一个月，母亲已经去世六年了。姨妈离开时，儿子和女儿在两侧搀扶着，我注意到，她脚步缓慢，很是刻意，拄着拐杖，步态有些迟缓。我真想在她身后放声大喊，像是祝福，也像是恳求，"阿黛莎姨妈，我们会回来的，几个月之后，就在12月份。您一定要在这儿，好好活着，阿黛莎姨妈"。

与此不同，舅舅走时，步子有些蹦蹦跳跳的感觉：坚定、确信。没有步履蹒跚，没有老迈孱弱。他重复着第二天的计划，生怕我漏掉任何事：我们会在高速公路上的一个服务区见面，然后，他会带我去罗瑞合。天刚刚黑，我稍晚时候去见了玛西娅，一起吃晚餐。我回到自己的房间，盯着外祖父的照片看。

第二天早晨，表兄弟表姐妹们来酒店接我们，我们开始了实地考察。从深圳到罗瑞合，大约有三十分钟的车程，我们来到一座壮观的建筑物面前，它的围墙有两层楼那么高，有几个小小的拱形——那是门。几块石头垫起两门大炮（大炮是中国人发明的），炮口朝向外面，整个景观，看起来有点像中世纪的感觉。和深圳一样，这个村子以前也是个小地方。当年，邓小平高瞻远瞩，规划把深圳建成内地的经济和商业中心，要与香港（与深圳毗邻）媲美。深圳在罗瑞合周围发展起来，渐成对罗瑞合的包围之势，但是，政府决定，罗瑞合应该作为客家人先祖居住的村子被保留下来，想要把这个村子建成中国国内最大的客家人文化博物馆。

罗瑞合让我们大开眼界。一扇传统大门，装饰华美，高门槛，穿过这扇门，沿着走廊，我们走进家族院子"鹤湖新居"。横木上的匾额上写着"大夫第"——意为"政府高官的住宅"，匾额由当时的清朝皇帝御笔亲题。另一块匾额挂在村子入口，上书罗氏家训"创造财富 和睦家庭 崇文重教"。我请表兄弟表姐妹把那些字说给我听，希望——此行不是第一次了，也许是最热切地——这是对哈莱姆区我们罗－威廉姆斯小家庭的三大美德的肯定，如此让人惊异，母亲和哥哥们也能在这里看到就好了。还有比这个对我们家庭信条更为准确的总结么？

整座建筑始建于16世纪，由罗氏族人罗瑞凤主持兴建，历经五代，于1817年竣工。按照中国人的讲法，每二十年算是一代人，那么，罗氏家族应该已经有一百五十三代。罗氏家族的手书历史可以把我们带回到三千多年以前，大约公元前一千年。博物馆里有一本"虚拟图书"展示屏——你在屏幕上方把手一挥，就可以翻页——记录了整个罗氏家族的家谱，一代又一代。

我在虚拟家谱的展示屏上不断翻动，一直问表兄弟姐妹："外祖父在书中什么位置？他在哪儿？"我发动全家人帮我找外祖父的名字，表兄

鹤湖新居内部的鹤湖书院

鹤湖新居宗祠后庭

桥湖谢氏果升基公祠堂内之墓碑

谢湖正门

鹤湖新居内的电子族谱

弟表姐妹浏览了家谱的每一页，但是，目前没找到。早舞舅舅向前一步，安静又威严，让表兄弟表姐妹退下。他手一挥，指着一行字。"爸爸。"他说——汉语里父亲的意思。

　　舅舅接着带我们去看一面墙，墙上工工整整写着家谱，向参观者展示罗氏的悠久历史。他指着家谱上的一个点，表情更加生动。"这是我的父亲。"他说，"这是我们这一脉。"那周围有好多名字。"女人会被写进家谱么？"我问，其实，我已经知道答案了。

　　舅舅显得有些惊讶，似乎我问的是家里的宠物能不能进家谱。"不会，"他说，摇了摇头，"女人不会。"这里记录了历代男人，所有姓罗的男人。我心里五味杂陈，百感交集：对舅舅的爱，对我们这一脉的骄傲，对女性进不了家谱这一点的愤怒，还有彻骨的悲伤，必须要为母亲做点什么，为我们的下一代和一百五十三代子子孙孙做点什么。

　　我想在这个村子里得到大家承认，外祖父的梦想——创造财富、和

我和早舞舅舅在鹤湖新居

睦家庭、崇文重教——已经由我的母亲、母亲的孩子、孙子和外孙、曾孙完成了。内尔·罗的第二三四代以及其他后人，应该有他们的一席之地。我的情况非常具有讽刺意义：我们这些人，奴隶的后代，最多能上溯两三代人，也许四代人，我拒绝成为——我为之战斗，我坚持成为——只被定义为成为奴隶前和成为奴隶后的黑人。当我看到家谱时，我就想，"我知道，我知道"。

我看着舅舅，惊诧不已，想象着，我们两个如何承纳米目历代族人的力量。许多非裔美国人都不知道自己从哪里来，在被抓住之前，在被迫站上拍卖台之前，在被当作财产卖掉之前。罗瑞合之行，看到家族的世系，我意识到家族历史比基督教的历史还要长一千年，这几乎难以想象。此行的确改变一生。尽管如此，非洲人的历史比华人，比有书面记载的华人历史都早，非洲人是先民。

我开始以一种全新的方式来审视自己在宇宙中的位置，站在那里，看到成千上万先祖的名字，我意识到——几乎用了宗教皈依的力量——我的存在，并非宇宙中的意外事件，而是更广大计划中的一部分。我不能把这说成"预定论"，这个词充斥着宗教旧式偏见的味道，但是，我确切地感觉到，我的存在不是偶然的。就像一百年前、五百年前、两千年前的先祖，某一天，我的外孙会长大，知道先祖的名字和遗泽，他的子孙也将知道。早舞舅舅是第一百五十代，我是第一百五十一代，我的外孙伊德里斯是第一百五十三代。

我们开始参观时，早舞舅舅带我去了一座祠堂，点了一把香，递给我三支，自己留了大约十支，陪我走到祭坛。舅舅示意我走一侧的台阶，自己则走了另一侧台阶。我们走了大约三段台阶，叩头三次，默默向先祖祝祷。我诚心向外祖父和母亲祝祷，向那未知的力量和人表示感恩，感谢他们带我来到这一刻。

然后，我们从台阶上走下来，将香插到香炉里，香会继续燃烧。与此同时，我们在村子里走过。舅舅步伐坚定，因为他对这个地方非常熟悉，这个地方归他管。实际上，过一个高门槛的时候，我看到有人伸出手臂试图搀扶舅舅，那是个错误。他冲那个人一挥手——很有策略，也很坚定，似乎在说："我没事，我不需要帮助，谢谢。"

如今只有安保人员住在罗瑞合，但是，1996 年之前，罗氏家人还居住在这里。舅舅带我去看了家族长者开会的地方，在客家文化中，长者受到尊重。他带我去看了外祖父的住所，塞缪尔·罗的两个兄弟的家人住在旁边的房子里。

我遇到一个严肃的男人，名叫欣荣，年纪与我相仿，是我的远房表亲，因为他祖父和塞缪尔·罗是兄弟。早舞舅舅说，塞缪尔·罗与欣荣的父亲罗仕朝关系非常好。欣荣是当地村子领导，对博物馆有管理权，是该村的党委书记。他跟我讲客家话，透着官方——有一点点，但是，还是

寻找罗定朝
从哈莱姆、牙买加到中国

外祖父曾经居住的小屋，如今依然保持了原样

我与表弟罗敏军在宗祠指认家谱

鹤湖新居全貌图

能听出来。他说，我们是同一代人，是兄妹。我们说到了他的祖父和我的外祖父是兄弟。我问了他的出生年份，我的表兄弟表姐妹翻译出来是1956 年。我冲欣荣温和地笑了笑，指着我自己说"1952 年"。我的出生年份被翻译过去，他笑开了花，对我更加尊敬，几乎有些敬重的味道："堂姐，你比我年纪大。"出生顺序和辈分在中国如此重要，难怪吉尔伯特被留在了牙买加。

我们走向外祖父的房子，我站在门口。这座房子不大，20 世纪 30年代末期，塞缪尔为自己的孩子们建了阁楼，好让孩子们睡在里面，阁楼在房子里面，往外突出。门口挂着客家文字，要所有从正门进去的人

"出门去发迹，要有财富，然后回家来"。我似乎能依稀听到母亲坚持说，我们一定会变得富有。母亲从自己的父亲那里学到这一课，学得非常全面，就像她学着用客家话数数一样。

整个过程让我无法自已，我需要将我接受的许多信息融进我的世界观。几个星期之内，我的世界扩展到另一片大陆——面积广大的一片大陆，我的族人居于其中。有一个地方，有一个村子，有数位长者，有表兄弟表姐妹，他们认识我，知道我的名字。他们有母亲的照片，和母亲拥有同样的血缘。我来到外祖父的家里，我在他的厨房和卧室里待过，我在早舞舅舅的声音里听出外祖父的神韵，想象着，在屋子里，外祖父也一样有自信，有威望，有威严。

我是客家人。

我是罗定朝的外孙女。

我是内尔·薇拉·罗的独生女。

我是罗氏族人。

功夫不负有心人。

——中国谚语

万里之行

　　1889 年，塞缪尔·罗出生在今广东省深圳市龙岗区的罗瑞合村——鹤湖新居围屋，本名罗定朝。他的父亲罗裕修是一位精明的商人，育有三子，罗定朝排行老二。大儿子虽然有着长子身份，却是一个浪荡子，放荡不羁，挥霍无度，缺少其父具有的自律和进取精神。

　　而塞缪尔则不同。他是一位天生的商人，继承了父亲的商业禀赋和雄心壮志，但是在一个等级森严的文化环境中，却摆脱不了其作为次子的身份。塞缪尔出生在中国最后一个封建王朝——清朝（1644—1912）末年。当时社会有五个阶级，最上面三个阶级是统治阶级，以及极少数的贵族和通过参加科举考试获得功名的知识分子。老百姓或者说是劳动者则被分为良民和贱民。前者占大多数，包括一些书生、农民、商人和工匠；而贱民则指出身卑微，或者贫贱的人，比如奴隶、仆人、伶人、妓女和一些低层官府杂役。

　　当时的中国正处于动乱年代。中国人口在 19 世纪已经增长到三亿，并伴随着持续增长的人口流动。清政府鼓励移民，有些是暂时移民，有些则是到其他地区定居。

　　外祖父家应该属于良民阶层。他只读了两年书，就迫于生活的压力出去工作了。他去了罗瑞合和龙岗，想找家小店作佣工，但是并没有人雇佣他，他不得不想办法自谋生路。当时，罗瑞合村的一些族人已经去了牙买加。

1891 年以前，清政府并不鼓励人们去海外谋生，担心这样会致使百姓蜂拥去西方寻找财富，后来才改变了政策。1854 年 7 月，第一批华人，在违反清政府禁令的情况下前往牙买加。他们最初以契约劳工的方式前往巴拿马，修建铁路。是年，当黄热病在巴拿马蔓延时，有二百零五位华人要求废除劳工协议，离开巴拿马，以逃离这场瘟疫。同年，他们获准搭乘两艘轮船前往牙买加。两百多位华人到达牙买加，但是其中四分之三已经感染了黄热病，最后死在了牙买加。只有最强壮的人活了下来，不到五十个。这其中有三人后来成为牙买加的中国零售业之父，他们开了杂货店，成为传奇的华人店铺的先驱者。

到了 19 世纪 60 年代，开始陆续有华人来到牙买加。他们同样是契约劳工，与在特立尼达和多巴哥的美国公司签订了三年的劳工协议，在甘蔗、香蕉以及可可种植园里劳作。契约期满后，因为觉得牙买加做生意更有前景，他们同样被吸引到了牙买加。最初华人不多，直到 1884 年，随着近七百名华人的到达，华人社区才很快建立起来。

在 1884 年到达的这一批华人中，不知是否有我的亲戚。但可以肯定的是，当塞缪尔·罗启程前往牙买加寻找财富时，他已经有亲戚从罗瑞合村前往牙买加了。当时的中国仍然深陷 1898 年义和团运动的漩涡中。这一次起义，也被称为"秘密的爱国运动"，参与者大多数为穷苦的农民。他们被组织起来，通过教授武术和"刀枪不入"的信念获得力量。义和团的大部分活动发生在中国北方，最初主要针对洋人，特别是外国传教士和华人教徒。

清政府并不完全排斥义和团。事实上清政府认为义和团是抵御外国侵略者的有用工具，但是也担心针对传教士和其他外国人的怒火终会波及朝廷。作为权宜之计，清朝慈禧太后决定联合义和团，甚至由清军提供先进的武器来增强义和团宣称的神奇功力，她命令义和团在 1900 年 6 月对中国境内的洋人杀无赦，并对外国列强宣战。

很多洋人被残害，北京的使馆区也被围困。洋人和日本人组成的联军一路进军北京，攻占了北京城，解救了在使馆区被困的外国使节和避难的洋人。此时清政府内部也开始分裂。有些人仍然站在义和团一边，有些人则站在洋人一边。形势逐渐变得不可控，到 1901 年，八国联军进占北京，义和团迅速消亡。与此同时，清政府内政受制于外国强权的屈辱历史就此展开。

当时身为家中次子的塞缪尔大约十一岁，其家境也勉强算收支平衡。他也许并不太了解当时的政治局势为什么这么紧张，为什么会有大旱发生，但是他知道，自己必须承担起挣钱养家的责任，让家人过上温饱的生活，让他们衣食无忧。当塞缪尔十五岁的时候——确切的年龄还不清楚——他远渡重洋，从广州前往牙买加金斯敦，跨越了 9,583 英里，成为一名劳工。他搭乘的轮船满载了热切希望到远离家乡的海岛去赚取财富的年轻人和孩子们。他们可能在巴拿马停靠，因为当时巴拿马运河即将修建，来自亚洲的劳工都会聚集在那里。这也是他们历险经历必经的一部分。

19 世纪晚期到 20 世纪初期，新大陆和加勒比地区的奴隶正经历着从奴隶到自由劳工的转变，而塞缪尔正巧赶上了这种转变。契约制的奴役体系在该地区开始盛行。我猜想，1905 年，外祖父是作为一个有着三年契约的少年劳工，在牙买加开始了他的生活。若是如此，他的第一份工作应该是收割甘蔗，在一个面临衰退的行业从事辛苦的体力劳动。当时的条件自然不像中世纪那样恶劣（中世纪劳役甚至还会有人饿死），但是当时牙买加的劳役生活既不会很舒服，也不会有高额工资。

但无论怎样，塞缪尔一直非常节俭。契约期满时，他已经攒够了可以开店的钱。他的一个亲戚在山区开了一家杂货铺——一家很小的"零售店"——于是，塞缪尔动身去找他。称作店铺都有点夸大其词了，因为那只是摆放在山坡上的一个摊位，出售大米、面粉、玉米粉和咸肉，供给牙买加当地人。对塞缪尔·罗来说，只是零售而已。最终，他开始在当时中国还没产生的行当工作了。

过了一段时间，他的亲戚受够了乡下的生活，决定离开。外祖父则一直辛苦工作，几乎攒下了他所挣的每一个便士，买下了这家小小的店铺。在接手这家店铺后，他开始独自在山区打拼。外祖父，这个十八岁的中国年轻人，全凭自己的努力，渐渐被当地人所接纳，成为他们的朋友，应他们的要求去订购货物，在他们需要货物的时候赊账给他们。后来，他雇用了另外 位华人，帮他打理生意，在牙买加乡下一起度过孤独的日子。

这就是外祖父最开始的日子：一个便士一个便士地积攒，日夜辛劳，忍受着孤独——那种孤独可以打败任何一个缺乏自律的男人。渐渐地，他积攒的钱足够他走出山区在摩可小镇开一家商店，在圣·安斯贝城开了另 家店铺。他请自己两个兄弟参与到日渐兴隆的生意中来。这里的气候让他想起了中国南方的家乡——罗瑞合村，他迫切地希望兄弟三个能够给乡亲父老一个惊喜。但是大哥献朝，无法适应艰苦的劳作，也没有塞缪尔和小弟那种进取精神，不久即回到中国定居。献朝的儿子莱斯利出生在罗瑞合村，后来被带到了牙买加。当献朝返回中国时，莱斯利被留在了牙买加的圣·安斯贝，交给塞缪尔抚养。塞缪尔娶了何瑞英后，就由瑞英照顾他。

外祖父差不多用了十年时间建立了成功的商业体系。他决定娶个老婆——一个传统的中国女人——开始他的家庭生活，完全不同于他和埃玛·艾莉森及祖母艾伯塔·坎贝尔那样随便的关系。婚事在老家就开始筹备，之后何瑞英被送到牙买加。瑞英一到牙买加，他们即举行了婚礼，并在 1920 年 12 月 23 日的当地报纸《拾穗人日报》的第二版上刊登了婚礼的消息。

婚礼

摩可的塞缪尔·罗先生

和

何瑞英女士

金斯敦何植生先生的女儿

将举行婚礼

地点：金斯敦帕里什教堂

时间：27 日星期一上午 10:30 分

我不知道埃玛·艾利森和艾伯塔·坎贝尔是否看到了这条通告。

外祖父和何瑞英的结婚登记证明

年轻的何瑞英（左）在1920年被送到了牙买加，与外祖父举行婚礼

第二次移民

　　早舞舅舅出生在牙买加。1927 年，他和父母以及三个兄弟姐妹离开牙买加回国，包括阿黛莎、他的哥哥和弟弟。此外，还有四个孩子和他们一起回去。这四个孩子的父母也是华人，希望孩子能被带回国。他们认为送孩子回国，对孩子的成长非常重要，能够保证孩子融入中国社会，讲流利的汉语。这些孩子在牙买加出生，有的母亲就是牙买加人，但是他们的骨子里还是中国人，仍需要受到中国文化的熏陶。比如我的家庭，就是一个中国客家家庭。

　　罗家的故事看起来很特别，但却是当时大部分牙买加华人的典型。学者们认为这是一种"第二次移民现象"，就是说很多牙买加的中国移民会把孩子送回中国抚养，和亲戚或者熟人生活在一起。其目的是为了在孩子的成长中，激发、塑造和强化他们作为华人的认同感。他们的父母希望孩子不会完全被牙买加文化所同化。

　　华人到牙买加的移民潮主要有三次。第一次是在 19 世纪中叶，契约劳工从中国来到牙买加。很多人摆脱契约后，留在海岛上，开始从事小生意。第二次是在 19 世纪晚期和 20 世纪上半叶，移民主要是被牙买加的经济发展机遇所吸引。这个阶段到来的中国人更有进取精神。最后一次移民潮是在 20 世纪末，一个新的中国企业家群体来到了加勒比地区。

　　"第二次移民现象"在 1915 年到 1937 年间非常活跃。直到日本侵华战争爆发，很多家庭才决定让孩子留在牙买加，认为这样比较安全。

寻找罗定朝
从哈莱姆、
牙买加到中国

比较典型的情况是，他们的父亲往往是华人店主，他们的母亲则是牙买加女性或者移民到这里的华人女性；我的外祖父就属于这种情况。很多孩子会和兄弟姐妹一起被送回到中国，回去后，会由不同的亲戚或熟人代为抚养。可以想象，对这些孩子来说，他们会多么困惑。他们不得不和自己的父母分离，兄弟姐妹彼此分开，融入一个对他们来说完全陌生的文化中。一些孩子可能经历无法痊愈的创伤。对另一些孩子来说，比如罗家的孩子们，他们则在中国经历了一个相对稳定的短暂时期。

外祖父，和他妻子，还有四个孩子——包括他们刚刚一岁的儿子罗早刚，从金斯敦回到了广州。广州位于香港西北大约一百二十公里的地方，当他们到达广州后，就把小儿子留在了岳父母身边。塞缪尔的妻子何家家境很不错：何父拥有一家中药店，并且用塞缪尔和何氏从牙买加寄回来的钱投资了物业。正如早刚所说，"这是所有华人的梦想，就是去牙买加发财，回到国内购买农庄、土地和盖房子。这是他们美好的愿景。"

塞缪尔和何氏回到了母亲居住的罗瑞合村。三岁的早舞和哥哥，五岁的早英，被留在了祖母身边，和姐姐罗碧玉（阿黛莎）在一起。圣诞节过后，塞缪尔和妻子就回到了牙买加，继续积累资本，扩展生意。

他们经停纽约，拜访了舅兄一家。

在那里，他们听到一个可怕的消息：大火烧毁了他们在牙买加圣·安斯贝的店铺。

大火！大火！

　　当我开始寻找，并且尽可能去了解这位远赴加勒比的客家人时，我阅读了大量图书、期刊报纸，以及尽可能多的资料。这些有助于我了解外祖父的经历，了解母亲所未曾经历的生活。

　　其中一本是保罗·布兰登所写的《在苏里南的华人新移民：种族表演的必然性》。他的关注点主要在距离牙买加大约两千八百公里的南美地区东北海岸沿线的前荷兰殖民地。在该书的第183页，他对牙买加华人的生活经历做了引人入胜的分析——特别是客家人。我发现他的观察对我非常有用。他所描写的时间和我们家差不多吻合，当我读到这一页时，塞缪尔·罗所经历的那种氛围对我来说变得更加贴近，更令我害怕。我可以感受到那种威胁，虽然从未体验过。他所写的正是小店主们，像外祖父和叔外祖父们一样的小店主。

　　当时客家店主们所经营的小商铺，主要是为当地人供应杂货。但是这些商品的供货者往往是白人精英，华人一般是中间人，白人精英们控制了货物供应，牙买加非裔则成了需求方。"在加勒比地区，最强烈的反华情绪就是在牙买加。"保罗写到，"在英属加勒比地区，这一规模是独一无二的。"他指出，在20世纪，针对牙买加华人的暴力运动有三次高潮，分别在1919年、1939年和1965年。传统观点认为，这种暴力主要是由华人店主们和牙买加非裔顾客们之间的不可避免的紧张和不满造成的——也就是一种分化。

但是，保罗认为"还有一种可能性是白人对华人的流动性的不满"。因为当时白人精英控制着大众传媒，他们可以通过塑造"寄生于牙买加非裔人口的华人形象"来煽动非裔牙买加人的愤怒，同时他们"推动对华人移民实行更严格的限制以及更严苛的控制以防华人在零售业占据主导地位"。

　　对于华人的讨论在牙买加公共话题中经常被提及。在菲利普·舍洛克和黑兹尔·贝内特的《牙买加人的故事》一书中，他们描写了一些强加在华人身上的移民管制。1905年，牙买加政府开始限制华人移民入境。所有移民必须向移民局申请名额，并且必须由当地华人社区成员推荐，由他们向移民局提供类似于保证书的东西，保证新移民不会成为社会负担。同时必须保证新移民行为良好，移民局才会颁发一个官方的放行许可，移民一到达就必须出示此文件。

　　自19世纪晚期到20世纪早期，巴拿马兴建了大量的中途客栈，便于去牙买加的移民在那里等待放行证。他们有可能等待五年时间甚至更长。有些时候他们的放行证可能一直等不来，因为有些无良的中介，既拿了中国人的钱，又拿了牙买加方面的钱，却不打算出力办理。在巴拿马等待的申请者也无法再回中国了，因为他们感到很丢脸。有些人唯一体面的出路就是自杀。1910年，进一步颁布的移民法，要求华人一到达牙买加就必须缴纳三十英镑的押金，一个月后才会返还。同时要求考核他们证明会说或者会写至少五十个英语或者法语或者西班牙语的常用单词。

　　据1911年的人口普查，在牙买加的2,111名华人，只占牙买加总人口数的百分之零点三。但是无论这个事实还是新的移民法，都无法阻止1912年的当时报纸抱怨所谓的"华人入侵"，要求当局采取行动。《拾穗人日报》援引牙买加人的说法，"当局者难道不应该做些什么，让牙买加人感到这里仍然是他们的家，并且不准许外来者把本应该在此的牙买加人挤出去吗？"

下面这件事可以让我们大致了解当时的讨论有多么激烈。1935年，立法机构对有关限制华人移民的法律进行了辩论。在其中一场辩论中，西普里亚尼上尉说，"当我们自己的人还没有工作的时候，我们不能让外来者以寻找或获得工作的目的进入这个国家。两周以前，夫人号轮船带来了25个华人。今天又带来了18个人……我们必须关上国门以对抗那些用关上国门来对付我们的人"。

无论塞缪尔·罗和何瑞英是否意识到这些细微的社会变化，他们在1927年生意最好的时候已经常提起要做两手准备。他们担心牙买加的种族冲突会升级，所以一方面积累财富扩张在牙买加的生意，一方面把部分利润投入到广州的物业作为以后的安全保障，以防万一当情况变得很糟糕时，不得不离开。塞缪尔的大舅兄何吉泉帮助他们在中国置办物业，到1930年，他们在龙藏街76号拥有了一处房产，并租给了印刷公司。同时他们在观音山脚下还有一处一百多平方米的平房。

塞缪尔本想着这些物业要在很久以后才会用得着。他对自己在牙买加圣·安斯贝的商店还有很多宏伟的计划，想要卖更多的货物，服务更多的客人。1928年的圣诞节，对他来说意味着这将是收获最丰厚的一年。他囤满了货物，然后启程带着四个孩子回国，准备让他们和祖母在一起生活。他希望他的兄弟们可以管理好店铺后面的仓库。当外祖父和他的妻子从香港启程慢慢返回牙买加时，他们还没意识到在圣·安斯贝将有灾难发生。

金斯敦当地人在1928年圣诞节早晨醒来时，在当地的《拾穗人日报》上看到这样的头条新闻：

大火！大火！圣·安斯贝在哭泣

这条外祖父商店被大火烧毁的消息占据头版最右手位置，和有关英国国王乔治五世病情严重但稳定的消息并列在一起（国王直到八年后的1936 年才去世）。

大火将 6 座建筑夷为平地

———

水源短缺，消防队在警报发出 15 分钟后到达

———

木材让火势更为凶猛

警察追寻暴徒

他们已从翠竹大道消失

踪影全无

———

从朗姆酒商铺开始

（通讯员报道）

圣·安斯贝，12 月 22 日——午夜 12 点 30 分，小镇的平静被一阵"大火，大火"的可怕喊声打破，伴随着教堂和市场的钟声。刹那间，街道上就一团混乱，挤满了从床上爬起来看热闹的男人、女人和孩子。

这场事故的"人物、时间、事件和地点"在这条新闻里都被提到了。通讯员描写了住在附近的一个名叫贝里·霍利迪的女孩，是如何最早看到了火苗，发现火灾，并拉响了警报的过程。有人形容当时整个街区像牙买加当地一种土生土长的树一样，一片连着一片。商人戴维·沃尔特斯的商铺也在附近，他冲过去试图帮着扑灭大火，但经年的木房子使得火势已经无法控制。克利银行的经理伍德先生手持灭火器出现，稍微弥补了消防队拖延造成的损失。

一家家店铺、一户户房子被彻底烧毁：包括记录当地居民人口出生与死亡的登记员海女士的房子、金斯·李先生的住宅和商店、外祖父商店对面的小酒馆、莫里斯先生的房子和商铺、斯科特先生的朗姆酒商店等。大火从"塞缪尔·罗兄弟商店"的后面开始燃起。有人试图扑灭那里的火，但"塞缪尔·罗兄弟商店"周围被大火包围，人们不得不撤离，以免大火烧到他们的衣服，高温难耐，使用化学灭火器时还需要不停浇水。

终于，消防队到了，灾难结束了，但是余烟中一个问题始终萦绕在人们的头脑中。那就是这是为什么？怎么发生的？最早的报道表明这场火灾属于蓄意纵火。《拾穗人日报》12月26日的报道以粗体字印着"涉嫌犯罪"。在这篇列举了相关损失的报道的最后，有这样的评论，"显而易见，本镇历史上，纵火是最让人不齿的事件，此次灾难令人遗憾，真心希望警方不日就可以把涉案人员逮捕归案"。

对于外祖父的人生而言，这场灾难则不仅仅是令人遗憾而已。当时在圣·安斯贝的火灾造成的所有损失约有18,150英镑，相当于今天的926,000英镑或者超过150万美元。

如果用今天的美元来算，外祖父的店铺，包括住所、库存货物，价值大约在511,000美元。当时的报道说这些货物有2,000英镑的保险，但是，其实并没有那么多。再加上当时没有被大火烧掉的货物还被当地人哄抢了。

这事是谁做的呢？

这个问题的答案，多年以来，一直没有找到。公布于众的答案是当地暴徒纵火，有些人之后也被提起了公诉。

1929年1月，当塞缪尔·罗和妻子回到牙买加时，他们不得不面对巨额的损失和灾难。他们用保险公司的赔偿金重建了房子，但是塞缪尔和妻子、孩子在回国之前满仓的货物因为没有买保险，所以就什么都得不到。

我不知道外祖父是怎么做到的。1929年1月21日星期一，大约在

寻找罗定朝 从哈莱姆、牙买加到中国

大火后的一个月，塞缪尔·罗新的店铺又开张了，他在《拾穗人日报》上刊登了广告：

　　致顾客朋友们，我们位于圣安斯贝主街 24 号的商铺临时重开营业，以往所享有的商铺优惠将会继续。非常感谢你们过去对我们的支持，也恳请你们一如既往地继续光顾。圣安斯贝的塞缪尔·罗兄弟商店。

　　经济上，情况可能更糟糕。塞缪尔只获得了一点点保险赔偿金，他将一大部分用来重建商店。他囤积的货物很多是委托售卖的，所以，塞缪尔还欠那些货物主人的钱。此外，他的顾客很多也是赊账。这些因素使得他的商业模式很不稳定。尽管他在大火后一个月内就开了一家小商店，但是他的那些熟客已经去了别处。

　　外祖父下定决心要做成这件事。这家小商店只是暂时的。他计划开一家更现代化更完善的通电的大百货商店。到那年 7 月，他成功了。那片被大火毁掉的区域大部分都重建了，据当地报纸报道：

　　有了崭新的面貌。几乎所有的房子都已经重建，再过不久就会重新开张营业……各位。塞缪尔·罗兄弟商店已经建起了一栋两层结构精巧的楼房来继续经营他们的零售和批发生意。他们现在已经使用了二楼。几乎所有的新楼都使用电灯照明，看起来更加辉煌。

　　但是，塞缪尔的美好愿望无法面对残酷的市场现状。
　　让他始料不及的是，1929 年 7 月，当灯火通明的新店开张时，一场经济危机即将席卷全世界。

回　潮

　　世界上没有国家能躲过 20 世纪 30 年代初的经济大萧条，即使是在牙买加小镇上的商铺也能明显感受得到，美洲、亚洲和欧洲的大城市更是如此。牙买加的出口份额和产品生产突然收缩了。从 1929 年到 1932 年间，出口商品价格下降了百分之四十四。当地政治、经济以及社会环境的恶化和生活水平的下滑致使很多华人被迫离开。这标志着 20 世纪 30 年代初被称为海外华人"回潮"的开始。

　　大火过后，我的外祖父在圣·安斯贝重建了一个漂亮的现代化的百货商店，有了令人兴奋的新元素——电。但货物还是赊来的，他仍然欠那些供应商钱。加上他的顾客也常常赊账，所以他不得不努力在收支之间弥补差距。他人缘很好，喜欢被人们所簇拥着，并送东西给别人。一到周末，很多顾客会来商店购买东西，塞缪尔就会邀请他们一起吃饭。顾客们和供应商们会在店门前闲聊，别的华人店主也会加入。他们会聊聊一周的八卦、当地的新闻以及需要提供的货物等。尽管这是个结交朋友的好途径，但对于还不稳定的生意来说，却不是一个最稳妥的方式。而且尽管有这些友善的新面孔，但很多老顾客在大火后还是流失了。更麻烦的是，经济大萧条让信贷也收紧了。此外外祖父运气也不太好。比如 1931 年 1 月，他的车在运送面包途中，因为车胎漏气，坏在了路上。据《拾穗人日报》报道，当外祖父去寻求帮助时，两个小男孩钻进了车厢，偷吃了一些面包，还带走了很多。

塞缪尔怎么也无法让生意好起来。在牙买加最后的几个月，对塞缪尔和瑞英来说一定非常痛苦。他们还能做些什么呢？他们怎么才能让生意好转呢？还有什么方法没试过？最后，到1931年底，他们最终无法坚持了。

《拾穗人日报》公布了这样一条破产信息：

圣·安斯贝的

塞缪尔·罗兄弟商店

破产

所列物品将在下午4点之前被签字认领

周五，1931年11月10日

接下来罗列的就是一大堆货品清单，显现着塞缪尔曾经的雄心壮志。这不仅仅是一家小小的杂货铺，更是一个试图满足所有客人所有需要的店铺。有人需要强化饮料吗？走道的一侧摆满了各种酒类。或许需要锤子和钉了做些房子的修补工作？商铺的一角有一个小型的工具作坊。那些杂货也完全可以将一个厨房搭建起来，不仅仅有食品杂货，还有餐具、罐子和锅。如果有人感觉身体不舒服，或许可以被琳琅满目的药品所治愈。一个内疚的老公或者一个殷勤的爱人或许可以在此中找到香水或者温柔的信笺。还有桌子、椅子、冰箱、小型玻璃橱窗以及称重器，包括一个价值413英镑的费尔班克斯秤。此外，还有计数器、打字机、铁箱子、一套桌椅、珍贵的发电机、家具、家居用品，这些全部都待售。我琢磨着这些物件也许并非取自日常生活，而是来自其零售业务。

读着货品清单，我又内疚又悲伤，仿佛站在一个院子里，因为没办法赎回自己的房子，只能面对一大堆破破烂烂被遗弃的物品。所有的雄

有关外祖父商店破产的报道

心壮志都在这里，而完全彻底的无望又让这一切变得非常可悲。

当时塞缪尔破产了，妻子何瑞英又怀孕了，有了小女儿罗碧珍，他还需要继续寄钱回国内给其他几个孩子。他唯一的选择是去金斯敦，找些其他事情做。塞缪尔还有一辆车，他开始给小商店运送货物。但生活的枷锁再一次收紧了。1933 年，另一个孩子罗碧霞也出生了，他有两个小生命要抚育。与此同时，赚钱的希望更渺茫了。不知道在他们决定启程回国回到家人的身边前，他和瑞英经历了怎样艰难的对话。

1933 年 7 月 3 日，塞缪尔·罗和妻子，还有两个女儿搭乘安达拉特斯号轮船返回中国。同船的还有其他曾在牙买加的客家人，同样面对艰难的社会现实已经无法继续留下来。他们从金斯敦启程，塞缪尔和家人站在甲板上，随着轮船慢慢驶离这个"布满森林和水的海岛"，他们目视着岸上，充满了不舍与留恋。自 1905 年到达牙买加，他曾四次往返中国和牙买加之间，但是这一次当安达拉特斯号轮船驶进加勒比海西南，当他看着远去的海岸线，他也许从未想过他再也不会回来了。

外祖父从弱冠之年来到牙买加，到如今离开，他在牙买加度过了二十五年的时光，经历了无数艰辛苦难与冒险、命运的悲欢离合。他永远把这段时间当作他人生中最好的时光。他爱这个海岛，爱这里的机遇，也爱曾经在他生命中出现的女性，为他养育的孩子。他一定曾深深陷入自己的情绪中。有一句古老的客家习语曾这样说，"离巢的鸟儿总是记得家的方向，漂泊的船儿终归要找到停靠的港湾，浪迹天涯的游子无时无刻不心系家乡"。

有丁，有财

　　尽管外祖父离开牙买加时非常痛苦，但是在国内还有很多值得他期待的事情。经过多年纷乱的时光，他终于要回到老母亲和四个孩子的身边。孩子们还盼着父母回来呢！他和妻子一直很担心早舞，因为这两年早舞一直住在乡下，乡下卫生条件很差，早舞又没有发育好，所以病得很厉害，后来甚至开始便血。当他生病的消息传到牙买加，瑞英怀着孕，一定很着急。她写信给广州的家人，希望他们把孩子从罗瑞合村接到广州治病——她父亲的中草药应该能让早舞恢复健康。她父母同意了，1930年，兄妹几个在广州的外公外婆家团圆了。

　　1933年秋天，外祖父和他的家人，一家四口，包括在牙买加出生的两个幼女，回到了香港。

　　他们回国的第一站是塞缪尔出生长大的罗瑞合村，他的母亲还住在那里。他的母亲，应该非常高兴看到儿子儿媳衣锦还乡。回来之前，瑞英给孩子们穿上了最好的衣服，让他们拜见家中长辈。塞缪尔和家人终于再也不用折腾了，作为客家人将生活在中国了。他们到家的第一件事就是去祠堂拜谒先祖——也是我的先祖。舅舅早舞在我回到罗瑞合村时，也带我去了先祖的牌位前上香、磕头祭拜。

　　祭拜完先祖后，外祖父就要拜访族中众亲朋好友。他大宴宾客，以感谢这些年族人和朋友在他离乡时对家人的帮助。

回家一定给塞缪尔新的动力，也让他有了新的希望，弥补了他离开牙买加的缺憾。然后他回到广州，和瑞英的家人以及寄居在岳父母家的四个大一点的孩子生活在一起。当然首先要做的事情是对岳父岳母一家表示感谢，感谢他们一直以来对孩子们的照顾。

最后自然是要拥抱、爱抚孩子们，阿黛莎、早英、早舞和早刚。他们健康成长，已经成了纯正的客家人。已经有四年没见他们了，他们长得很快，变化很大。十五岁的阿戴莎那么甜美恬静！她几乎长大成人。早英已经十岁了。塞缪尔看着这一大家子，幸福满满，又团圆了。瑞英哭了，也许塞缪尔也哭了。也许离开牙买加并不是个很糟糕的决定。

在搭船回家的那段日子，他已经开始酝酿一个计划。他到广州的第一站是广州越秀区的何家书院。何家书院据传为粤东嘉应州客籍何氏秀才来省城参加科举乡试的落脚之处，庭院至今仍存留客家建筑风格的影子。1905 年之后，当科举考试被现代教育制度代替后，何家书院逐渐变成何氏宗族前来省城经商创业的居住之所。其中就有何瑞英的外祖父。

尽管他们在广州有两处物业，但是塞缪尔一家还是出于实际考虑决定在何家书院居住。其一，就是他们需要租给印刷厂的租金。其二，那栋楼尽管足够大，但是对于一大家子来说，并不适宜居住，所以印刷厂是个很合适的租户。第三，瑞英的娘家人都在广州，外祖父觉得这些年他们常年在外，他欠妻子太多了，妻子也付出太多了。

瑞英也觉得这些年一直把孩子寄养在父母家，欠家人太多了。嫁做人妇十年了，漂泊海外的她一直未多尽孝道，如今父母年事已高，越来越需要她尽孝了。现在是她该尽为人子女的孝道的时候，同时也能在金钱上给予娘家补偿。

但是美好的愿望在现实面前总是无力的。与老人住在一起的计划没法实施。塞缪尔一家就有八口人，何家也有十口人。一大家子每天的开销非常大。尽管老人家们和叔叔阿姨们很爱孩子，但是全世界的长辈都一样——我也是这样——无论多爱小孩子，还是希望有自己独处的静谧时间。

塞缪尔和他的岳父开始着手改造位于朝观街的瑞英娘家对面的房子，这是一栋四层半高的旧式"唐楼"。在这儿瑞英既可以与丈夫子女朝夕相处，又能与父母兄嫂比邻而居，彼此关照。

外祖父依然精力充沛，充满雄心壮志。既然他已经回到广州，这些年的积蓄和寄回家的钱也要发挥作用。外祖父决定将观音山脚下镇海路的那间一百多平方米的平房，改建成一栋三层小洋楼，供全家居住。一楼临街，既可以自住，又可以做铺面；二、三楼建成小屋租给学生（当时旁边有所中学，即今天的广州市第二中学）。改造用了半年时间，从1934年中开始到1935年初。

1935年初，小洋楼正式落成，外祖父举家迁入。半年后，瑞英认为新住处离娘家还是远了些，感觉十分不便，一家人又回迁朝观街29号，再未回过那幢小洋楼。塞缪尔让两个侄子在那里经营一楼的店铺，二楼和三楼则继续出租。

为家人安置了舒适的住处后，他立刻开始着手寻找商机。因为有海外工作的经历，外祖父充满信心。既然在国外能成功——如果不是大火和经济萧条，他的生意一定更加成功——在老家自然不成问题。

我常常折服于外祖父敏锐的商业触觉和想象力。当我面对自己的商业触觉和艾瑞克的商业智慧时，我猜想是不是我们赚钱的基因就来自于外祖父。当时的广州人口众多，为各种小生意的开展提供了支持——学校也带来了不少客人：很多学生有些零花钱可用，他们可以用来寻求各种体验。毕竟每个人都需要吃饭。

一家饭店。外祖父决定开一家饭店。

他一直不擅长厨艺，而广州当地人又特别会吃。那么饭店开在哪里好呢？哪里是开店的最好地方呢？繁忙的中华中路是个好地方（新中国成立后更名为"解放中路"），离家不到两公里，是个很不错的地方，客流量也大。中华中路全长五百五十四米，建成于 1930 年，是"四牌楼"所在地（当时广州的地标性建筑）。这条路极具特色，西侧的朝北段，一溜儿的电器元件商铺；陶街则是卖家用电器成品（廉价的收录机、音响、电视和小电器）的"电器一条街"；而"四牌楼"的拐角处，又是"故衣专业街"。

塞缪尔开的饭店名为"别有天"。1934 年初，在他从牙买加回来一年后，饭店隆重开业了。正如所有客家人一样，我们家特别重视家族传统和传承。罗家人经常会提到鹤湖罗氏开基祖罗瑞凤。他就是在四十四岁那年从粤东兴宁迁至龙岗创业的。罗瑞凤当年淘得第一桶金的故事是这样的：

当年，瑞凤公"善观其变"，在龙岗墟市上，敏锐地观察到赶墟的乡亲都喜欢带上几斤糯米酿制的"娘酒"回家自饮，又经过亲口品尝确认墟上所卖"娘酒"不如自家酒醇香后，毅然决定弃农从商，做起了酿酒生意，并取得了成功。这种善于观察市场，准确捕捉机遇的能力，是瑞凤公生意制胜的关键和创业成功的法宝。

很简单，他发财了。

当然他也很幸运。天时、地利、人和凑在了一起。

外祖父注意到了这个巧合，认为这是个好兆头。1933 年外祖父回国准备在广州开启新的征程时，也正好四十四岁。祖父心中暗自希望这个巧合，能为自己带来同样的好运气。当他开始自己新的事业时，先祖们的奋斗经历一直激励着他。

时机，众所周知，决定了很多事情。对于塞缪尔来说，他所处的 20

世纪，社会动荡，在这样的艰难时势中谋发展，谈何容易！瑞凤公创业之初，正逢清朝康乾盛世，社会稳定、经济繁荣、国力强盛，机会众多。而外祖父则相反，却是身处乱世，经济凋敝，全世界都处于经济大萧条之中，而且战乱频仍。

如果是在太平盛世，凭借外祖父不畏困难、勇于开拓的雄心壮志，他还是可能继续他的梦想，可以从无到有，不断出新。

但是他不得不面对另一个严重问题。国内快速变化的商业环境，使得他还没有抓准时机学会适应。当时的广州已经有了繁荣的食肆业。从全国来看，广州以花样繁多的各式美食闻名。广州饮食店星罗棋布、鳞次栉比，举凡酒家、茶楼、茶室、茶寮，乃至晏店、小食店，比比皆是，竞争激烈。"别有天"虽然是个很美的名字，但是对于广州当地人来说，却有些浮夸。塞缪尔本以为酒楼会像他在牙买加的门店一样，顾客云集，饮茶喝酒吃饭。

但是，在竞争激烈的广州却不是这样的。想在众多食肆中脱颖而出，"别有天"计划专注于顺德美食。顺德是广东省的一个小城，位于珠江三角洲，有着广东省最精美的粤菜。因为位于珠江三角洲，所以海鲜是它的一大特色。一般粤菜都比较清淡，但是顺德菜却有丰富多样的食材和口味，会用新鲜的精粗果蔬，比如柑橘等，还有鲜奶制品为主要材料，辅以很多传统的食材。

但是外祖父的"别有天"酒楼的早晚茶市，点心品种不多、不精；午市、晚市餐饮又缺乏特色、档次不高。经营不到一年，酒楼就宣告结业。

这次失败的经历，使外祖父意识到，在广州这样的大都会从商，吃牙买加的老本显然行不通，必须摒弃好高骛远的心态，与时俱进，脚踏实地，重新学习。广州的竞争太过激烈，但是城区周围有很多小乡镇，可能竞争较少，市场更为自给自足一些。1935年上半年，通过舅公何吉泉的关系，外祖父投标成功，争取到了广东惠阳县淡水镇屠场（专门宰杀生牛的工场）的经营权，开始了他回国创业的第二段经历。

惠阳的淡水镇是历史悠久的古老集镇，宋朝末年，名为"上墟"，后改名为"锅笃镇"。明朝年间（1368—1645），为警卫海疆，设淡水卫城，保护大亚湾沿海区域。水陆交通十分便利，淡水墟具有开展商业贸易活动的地缘优势，很快扩展成为贸易集散地。

1839年鸦片战争后，惠阳与香港之间的进出口贸易主要在淡水集散，商业贸易发展更为迅猛，形成了"大鱼街""猪行街""灯笼街"和"米街"等专门的商品交易街道。只要找到合适的帮手，塞缪尔有信心很快可以进入客家人群体。中国有句俗语，"打虎还需亲兄弟，上阵不离父子兵"。外祖父在谈好工资条件后，把罗瑞合村的子侄们带到了淡水的屠场。

屠场生意，看似简单，其实并不容易。需要屠宰手、买手、批发、零售一环扣一环，相当专业。祖父既善于与人打交道，又熟悉客家人脾性，他接掌淡水屠场后，很快便将屠场工人们牢牢"粘"在了一起。

按照屠场经营管理协议，当地商贩屠宰生牛必须送入屠场，由屠场经营者负责屠宰，按照标准收取相应费用，并于每月指定日期前向政府缴纳定额屠宰"捐税"。当时中国绝大多数农村仍处于小农经济阶段，耕牛是农业生产的主要工具，但随着商品经济的萌芽发展，对肉的需求不断增加，屠场内需要屠宰的生牛数量也不断增加，屠场生意稳步增长，租金每个月也很稳定。

孩子们身体健康，事业逐步企稳，这一切都使外祖父对未来充满了希望。

但是不久抗日战争爆发了。

战火肆虐

1937 年 7 月 7 日，抗日战争爆发。事实上，中日之间的紧张关系由来已久。

1895 年，日本就控制了朝鲜地区，染指中国主权和侵占部分地区，在甲午战争中打败了中国。朝鲜一直以来是中国重要的附属国，有丰富的自然资源，对日本来说具有重要的战略地位，日本对其觊觎已久。朝鲜国内发生壬午兵变，中日两国同时出兵朝鲜。在政治斡旋上，日本更胜一筹。中国撤兵后，在日本的撺掇下，朝鲜宣布独立。中日签订了《马关条约》，中国将辽东半岛、台湾岛及所有附属各岛屿、澎湖列岛给日本，同时支付日本巨额赔款。

1937 年 7 月，日军在北平西南卢沟桥附近演习时，借口一名士兵"失踪"，要求进入宛平县城搜查，遭到中国守军第 29 军严词拒绝。日军遂向中国守军开枪射击，又炮轰宛平城，第 29 军奋起抗战，这就是卢沟桥事变，中国人对日全面抗战开始了。中国政府企图通过退让息事宁人，但是日军却以此为借口大举进攻中国北方地区,7 月底彻底攻占了北京城。中国政府因一度消极应战，损失巨大。

外祖父一家远在南方，逃过了几千里外北方的战火，但是来自北方各省的战乱消息也威胁着他和很多挣扎中的中国家庭。

卢沟桥事变是日本全面侵华的开始。战争对外祖父的生意来说有着灾难性的打击。他在淡水的屠场生意，本来预期会给亲戚们带来不错的利润，却也日渐萧条。正如他在广州的物业收益一样，屠场生意不断萎缩。虽然还在运转，但也岌岌可危。

8月31日，广州拉响了第一次防空警报。在一片恐慌中，很多广州人，包括我的外祖父，认为尽管这座城市是繁荣的商业中心，但是并不安全，开始大批撤离。外祖父从淡水匆忙赶回家，收拾细软，带全家老少回到了老家罗瑞合村。曾外祖父去世后，村子里7套房子分给了族中子弟。危急时刻正好用上，外祖父和他的长兄献朝公一家共用一套房子。尽管全家老少住在一起，有些拥挤；尽管他们怀念广州宽敞的房子，但是罗瑞合村的房子经过他们的改造，住得也还算舒服。

淡水屠场的生意还能维持，外祖父安顿好全家后，立刻赶回淡水。这次逃难中，所有子女都被迫辍学。外祖母根据每个人的情况，安排不同学校。早舞和早刚入读平岗中学；碧玉（在广州没有读书）、碧珍和碧霞入读罗瑞合村中的"诒燕学校"；早英不爱读书，就出来工作，帮补家计。

带着村中的兄弟回淡水，本有疑虑，几经思忖，疑虑全消。淡水镇远离广州，一直是个很平静的地方。但是塞缪尔刚到淡水不久，就发现这里的平静也被战争打破了。1938年10月12日，日军在大亚湾登陆，淡水失陷。日军侵占了屠场，外祖父被迫结束屠场生意，重返罗瑞合村。

稍感安慰的是，他还有广州的房产。但是1939年，广州又传来另一个坏消息，位于广州观音山的小洋楼被驻扎的日军，以拓宽马路、方便军车进出为理由强行拆除。同年，平岗中学停课，早舞、早刚（后随外婆生活）再次失学。塞缪尔一家宁静的乡村生活被日军的枪炮声彻底打破。从1938年到1945年，日本侵略者占领了广州，随之而来的是一系列的灾难，包括惨无人道的细菌试验。

一下子失去了主要生活来源，外祖父陷入人生中最困窘的境地。为维持生活，外祖父发出"动员令"，除了碧珍、碧霞两个小女儿继续读书外，家中所有人都必须出去工作。

外祖父靠贩卖从香港带回的一些药品和洋杂货等小商品，从中赚取微薄价差维生。香港"沦陷"之后，"跑单帮"更具风险。若是被日军发现，不仅物品充公，有时还会遭好一顿毒打。他也会在龙岗墟上组织生牛屠宰，搵点辛苦钱。

无奈之中，外祖母带着碧玉姨妈在罗瑞合村故居门前的大道边，搭起了棚架，做起了小贩，为逃难路人提供茶水、白粥和干粮。碧玉姨妈后来嫁给了一个做西餐的厨师，随夫到广西桂林生活。大伯父早英（后随姐姐碧玉去了广西桂林）是家中长子，祖父为他买来一辆自行车，专门为有需要的人提供交通运输服务（当年农村鲜少有汽车等交通工具），赚的都是血汗辛苦钱。十三岁的早舞还是个学生，相当于现在的初中生，但是为了生活也不得不放弃学习了。由舅公何吉泉介绍，他到离家数百公里的河源山区小镇，当见习税务员。

纵使全家动员，收入也是时断时续、时有时无。因为只要一听说日军要来，外祖父就会带着全家，到山里的亲戚朋友处躲上一段时间。

1945 年，中国以巨大的代价赢得了抗日战争的胜利。外祖父以为这下可以过上平静的日子了，但是历史并非如此。

1945 年，祖父母带着早舞、碧珍、碧霞三个孩子，再次返回广州。这一次，他别无选择，只能住进西湖路龙藏街 76 号的那幢"唐楼"。不久，国共内战再起，国民党政府滥发纸币，致使广州等大城市的恶性通货膨胀加剧，物价飞涨，劳苦大众惨遭其殃。

此时，外祖父已近花甲之年。今天在我看来，六十岁仍然属于精力充沛的中年，但是对于外祖父而言，他在战乱的反复折磨下，早已泯灭了创业的锐气和激情，开始进入了半退休状态。子女们承担起了照顾父母的责任，外祖父只是偶尔做做小生意。

几年后，子女渐次长大成人，外祖父一家的生活压力得到了大大缓解。姨父刘章屏离开他所服务的驻扎桂林的空军基地的第十四航空队后，与碧玉姨妈、早英舅舅一同返回广州，办起了饭店和运输行。早舞随舅公何吉泉辗转到三水税务局下属的清远办事处当文员，早刚开始到民船工会工作。罗家境况慢慢好转了，并且日渐富裕。这些收入加上"唐楼"部分租金，应付家庭日常生活开支和碧珍、碧霞姨妈的学费，绰绰有余。

这个家庭虽然经历了经济上的巨大损失，但是全家人却更紧密地团结在一起。

"文化大革命"

　　1949 年新中国成立以后，塞缪尔开始了他的退休生活，并定居在广州"唐楼"。外祖父的一生充满传奇，但他却很少在孙辈们面前提及。

　　在他处于退休状态的初期，塞缪尔的生活并没有真正安宁。政府对于凡是曾在海外工作的人都会反复调查。外祖父从来没有隐瞒他在牙买加的生活，所以很快被列为需要政审的对象。

　　因为外祖父曾参加过一个名为"致公堂"的帮会组织——中国致公党的前身，以团结组织华侨、维护华人利益及反清救国为己任的爱国组织，于是他受到反复的政治审查，直到调查人员发现外祖父所讲都是事实，他才算政审过关。但从那以后，外祖父那段在牙买加生活的海外经历一直是他和孩子们不得不面对的一个阴云。外祖父的经历、舅舅和姨妈的护照仍然是他们工作、婚姻必需审查的事项之一。外祖父为了孩子们着想，很少提及往事。

　　新中国成立初期划分"家庭成分"，也改变了中国许多家庭的命运。1948 年，外祖父与献朝伯公析产，他是家中次子，没有分到任何土地（除了一块小菜地），因此幸运地被划成了贫农，而不是地主。相反，罗瑞合村拥有较多田产的其他各房子孙，被戴上了地主的"帽子"，受到巨大的政治冲击，个别人的际遇甚为悲凉。

　　直到跨过政治审查和划分成分两道关口，外祖父的退休生活才安定下来。子女供养和广州"唐楼"部分楼层的出租收入，成了他的主要生

罗定朝1961年全家福，拍摄于广州艳芳照相馆

活来源。之后经历了"大跃进"和"文化大革命"的动荡岁月，外祖父的晚年不乏面对很多冲击，但也终于安然度过。

20 世纪 60 年代中，祖父开始体弱多病。

1967 年 5 月 13 日，他在"唐楼"与世长辞，走完了命运多舛、跌宕起伏的一生，享年七十八岁。早舞为外祖父举办了盛大的葬礼，众多亲朋好友前来吊唁。

我问表亲们，外祖父有无留下一些从牙买加寄回来的信件、账单或任何其他手写的东西。我问他们，外祖父有没有分享什么轶事趣闻。他们说不可能。"外祖父被称作资本家"，家里把所有相关的东西都毁掉了，怕被当作他是资本家的证据。"他的房子和钱都被没收了，他知道最好不要讲述他在西方作商人的故事"。

外祖父十几岁的时候，乘船去往遥远未知的国度。他希望帮助自己的家庭，寄钱回家。接下来他的兄弟也陆续前往牙买加，开了商铺，养育了孩子，经历了无数动荡，最终回到国内。

他的晚年应该是平静的，但也一定经历了很多的不安，忍受了很长时间的贫穷。当我了解得越多，就越加理解外祖父。

奇怪的是，1967 年，也是我的心和我的精神接近崩溃的时候。

外祖父遗像

家庭兴旺

在经历了外祖父去世的巨大打击后，早舞舅舅、阿黛莎姨妈和其他罗家人还要继续在急剧变化的中国生活下去。他们的生活出现了短暂的平静，但是依然生活在恐惧之中，生怕出现新一轮的动荡。我试图请他们回忆过去的日子，但是几十年来他们已经习惯了沉默和谨慎。看着他们严肃的面孔，了解到今天这个大家族所取得的成就，很难想象他们曾经经历的艰难困苦。

祖父去世后，随着"红卫兵"运动渐渐停息，"文化大革命"也渐渐偃旗息鼓，像广州这样的大城市所经历的动乱也逐渐平息。事实上，到广州旅行的人会发现它和中国很多其他城市不太一样，特别是和北京不太一样。广州人似乎没那么担惊受怕；这里有更多的电视节目；有很多香港人在广州专供外国人消费的友谊商店给亲戚或者自己购买电饭煲，他们认为内地的商品更便宜。2014年农历新年，我们来中国的时候，一位来自印第安纳波利斯的表亲指出友谊商店不再是以前可以讲价还价的地方了。在差不多不到10年的时间里，各种百货商店层出不穷，已经使物以稀为贵的友谊商店成为过去时代的代名词。

很多官员、知识分子、学生、记者和老师、外交官以及其他在"文化大革命"期间被卷入政治漩涡的人都从乡村回到了城市。事实上，很多人也确实遭受了不公的待遇，被送到牛棚，干体力活，在恶劣的条件下在农场和工厂工作。

1973年全家福

何瑞英和子孙们的合照

何瑞英晚年和三个儿子以及罗碧玉合照

何瑞英晚年和家人亲戚合照

老年何瑞英和三个儿子以及罗碧玉和罗敏章

罗碧玉和她丈夫以及何瑞英合照

罗祖刚和他太太及罗碧玉、罗碧霞合照

罗祖英一家和何瑞英合照

罗祖英子女和晚年何瑞英合照

慢慢地，到了20世纪70年代末80年代初，改革开放开始了。随着"包产到户"政策的实施，农民可以以农户为生产单位承包土地，他们是最早获益的一批人。虽然很多农村还实行集体所有制，但农民可以自己耕种土地。粮食产量增加了，农民相对富有了。

这仅仅是个开始。渐渐地，中国的经济体制改革使得中国成为世界经贸的一部分，可以获得大额境外贷款。与此同时，普通中国人的生活水平开始大幅提高。正如客家人所说，邓小平曾说过"致富光荣"（他也曾说过"贫穷不是社会主义"）。如果我的外祖父能听到这句话该多好。罗氏家族开始进入了繁荣发展的时期，所有的企业家潜力都被焕发出来。

早舞和他的两个孩子在一家大型海产品物流公司担任会计。后来，他的一个儿子开了海鲜公司，发展成为家族企业，雇用了很多年轻一代的罗家人，目前已经成为家族企业的董事长。阿黛莎的儿子去了香港，经营一家大型计算机硬件公司。碧珍的孩子从事进出口贸易工作，如今为中国、英国和牙买加的公司提供咨询服务。碧霞的儿子继承了家族重视教育的传统，在澳大利亚拥有一所学校。还有在政府部门工作的家庭成员：一个女儿在广州做法官，一个儿子在深圳海关相关部门担任领导。

罗家在中国的发展可谓占尽天时地利。广州比中国大多数地区发展更快。离香港很近，紧邻深圳——中国改革开放最早的经济特区，吸引了数亿外国投资。

20世纪80年代中期，邓小平提出反对资产阶级自由化。20世纪90年代之后，富人更加富有，农业发展停滞，大量农民工前往城市打工，特别是在深圳和广州的工厂里有大量农民工。很多农民背井离乡，开始到大城市生活。

伴随中国改革开放的不断深入，我的家族——聪明而富有经商天赋的罗家也参与其中。像我表兄这样的企业家被允许和鼓励创立自己的企业。从 20 世纪 80 年代后期到 90 年代，中国很多国有企业开始改革，市场也放开了。历史出现惊人的巧合，很多中国人再次回到牙买加，这次不是以劳工的形式，而是以合作者或企业家的身份前往牙买加。碧珍姨妈的三个儿子住在牙买加，从六个月到两年不等，他们建立了全球性的进出口贸易企业。出生在牙买加的碧珍姨妈，又回到了那里，看望她的儿子，重新寻找她与牙买加的缘分。

我被一张照片所震动，那是优雅而让人印象深刻的牙买加总理波希亚·辛普森·米勒 2013 年 9 月访问北京时，与习近平总书记握手的照片。那是一次国事访问，一次两国领导人亲切会晤的场景，一位来自世界上最大的国家之一，一位来自最小的国家之一。从 2009 年到 2012 年，牙买加和中国的贸易增长了三倍，才有了这次正式的会晤。

但对于内尔·薇拉·罗的女儿——我而言，这次会晤具有强烈的戏剧性和情感震撼。这样一个骄傲的牙买加非裔领导人和中国领导人会晤，对于我的母亲来说是不可想象的，也是塞缪尔·罗不能想象的。这代表一种重要的变化，也是历史的必然。中国人来到牙买加，代表着经济地位的上升。这一次，既有在被中国企业家收购的甘蔗种植园工作的中国员工，也有白领和专家。在牙买加当地人中，仍然有对中国移民的不满，正如我外祖父经历过的一样。

这两个国家似乎有种命中注定的缘分——既如此分离，又如此紧密。在金斯敦的大街上，中国人的店铺又开张了。我在想母亲和我家的故事会不会再次上演。会不会有一位中国人和一位牙买加非裔女孩再次相爱？他们会不会有一个女儿？他会不会决定还是娶一个中国女孩？他们的女儿会不会失去父亲？当然我永远不会知道。但是这不再仅仅是母亲和她父亲之间的故事——这是连绵曲折历史的一个重要组成部分，关于两个世界，关于两个国家，关于无数生命。

为什么不一路上相互帮助呢？

。

——鲍勃·马利《正能量共鸣》

第七章

探访牙买加

　　2012 年 10 月，我和两个哥哥、哈里舅舅和住在多伦多的表亲罗金生，一起踏上了牙买加之旅。我们借着参加由《加勒比新闻》赞助的加勒比经济发展会议的时机去了那里。会议地点设在牙买加的蒙特戈湾，我要参加一个研讨会，主题是有关娱乐产业发展的论坛。

　　参加这个会议只是个由头，我和两个哥哥都很焦躁不安，在中国有关罗氏家族的发现让我们有一种强烈的愿望，想要找到我们的生活和父母的生活中缺失的部分。我们多次前往牙买加，但是从没有了解过外祖父生活的细节，也从没有寻找过他曾居住的地方。在了解了他的生平后，我们的好奇心被激发出来，想要更多地了解他的生活。

　　虽然蒙特戈湾是个旅游胜地，但会议一结束，我们未多做停留就离开了。第一站是摩可小镇，那里是我母亲出生的地方，也是塞缪尔·罗曾经拥有一家商店的地方，和埃玛·艾莉森生活的地方，至今吉尔伯特的很多亲戚仍住在那里。

　　从蒙特戈湾一路行驶，我坐在汽车后座，一路看着景色变化。从郁郁葱葱、人口稠密之处到灌木丛生、色彩斑斓的地区，房屋变得更加原始一些。渐渐地，房子之间的距离越来越开阔。我们快速经过年久失修的房子、小餐馆和偶尔进入眼帘的小商店，男人们在凉棚下消磨时光、孩子们在嬉戏、母亲们抱着婴儿站着闲聊。车上，哈里舅舅偶尔会走题，插两句有关家庭或者邻居的闲话。

中国之行，记忆犹新，对于"种族融合"这个词，我有了新的理解。正如我这一代和我父母这一代的非裔，我和大多数人一样，成长过程中，基本被"种族融合"定义了，那是一种在政治和经济上的紧迫性，也是个过程，意味着公平、正义在教育、就业和经济发展、法律公正等方面的体现。在青少年时期和职业生涯中，我拒绝被定义为黑人奴隶，尽管我了解我们的族群在过去是如何被定义的。

融合的过程也是一个心理建设的过程，经常会有不和谐的声音，然后才慢慢变得和谐。我们都是上帝的子民，但是种族差异让我们有了区别，并彼此疏远。看着前往摩可小镇一路上的风景，在车后座听着哈里叔叔开心的话语，我的思绪又回到了中国。那时我坐在另一辆汽车的后座，坐在早舞舅舅身边。我一路看着车外的风景，看着中国经济在高速增长。高速公路穿过中国人口最稠密的地区，我们前往老家罗瑞合村时，早舞舅舅严谨地介绍那些值得注意的地方。

这是两个彼此完全不同的世界。有那么一刹那，我似乎可以了解到外祖父是如何融入这里的生活的。他并没有变得不像中国人——正如我不会变得不像黑人或者不像美国人——然而，外祖父与牙买加女性生儿育女，在牙买加生活，经营生意，倘若任其自然，那些领域根本不会接触，外祖父让这些领域融合起来。正如我一样。

我们到了摩可镇，吉尔伯特的长子汤尼，已经中年了，看起来憔悴不堪，他接待了我们。埃玛·艾莉森是吉尔伯特的母亲，曾经打理过塞缪尔的店铺。外祖父在店铺的斜对面给她盖了一座房子。就在店铺往上的山坡上，有一个小屋，如今仍然是个商店，由牙买加当地人经营。我很高兴看到汤尼，尽管我们的祖父和外祖父是同一个人，但他和我却不像我和中国亲人那样亲密。

我们在埃玛·艾莉森的老房子里坐着聊天，汤尼了解到外祖父的一生，

外祖父位于摩可小镇的故居

感到非常震惊。吉尔伯特，正如母亲一样，从来没有谈起过他的父亲以及他的中国背景。他从没说过他有一个姐姐在中国，或者他也有可能去中国，和父亲一起生活。他和塞缪尔的弟弟关系很亲密，这样的关系使得他在某种程度上讲可以联络到父亲，同样这种感觉可能加剧了他的失落感和孤独感。青少年时，他可能盼着很快就可以离开这里，前往中国，与父亲团聚。但是这个很快却永远都不会发生，因为负责将他带回中国的塞缪尔的弟弟不幸去世了。

吉尔伯特认命了。他娶了一个牙买加女人，生了十个孩子。他可能坐在门前，双腿交错着，凝视着，抽着烟。这使我想起了我的母亲，她站在窗前，或者门廊前，凝视着，似乎在等着什么人从世界上某个地方突然出现。

他们的父亲，我的母亲。跨越千万里的凝视，同样孤独，同样沮丧。

邻居一个老人停下来和我们攀谈。他差不多九十岁了，他还记得我的外祖父——他是唯一一个在牙买加还记得塞缪尔·罗的人。他说外祖父是一个高个子的中国人，就在街的斜对角有一个中国商店，说外祖父在山坡上为埃玛和孩子们盖了一座坚固的房子。听着这一切，慢慢土，故事变得越来越丰富，越来越有趣。这位邻居当时也许只是个孩子，看着这个来自异国的有钱人住在旁边。有些记忆从未褪色，但是可能从没有机会表达。因为我们的到来，这位邻居最终得以回忆起一个其他人从来没有兴趣的故事。

在摩可镇山坡上这间平房里，在房子靠前的主人卧房里，阿黛莎姨妈和吉尔伯特舅舅就出生在这张床上，他们的母亲可能就是在这里有了他们。几乎到最后，一个表亲才想起来带我们看看他外祖母的床。我们走进这间舒服的卧室，看到一张朴素而结实的桃花心木床，差不多是现在双人床的大小。埃玛·艾莉森可能告诉她的孩子们她有一个女儿在中国，她的儿子吉尔伯特就出生在这里。两个人都跟塞缪尔姓罗。塞缪尔把房子留给了埃玛，而她把房子留给了儿孙们。但是如今塞缪尔的孩子和孙子辈没有一个住在在他建的房子里。

这张床让我思绪万千。我想到了罗氏家族开基立业的罗瑞合村。正如母亲的名字和吉尔伯特的名字都没有出现在家谱里，外祖父所远航的世界和他的经历也湮没在历史中了。罗瑞合村不正是一个纪念像塞缪尔·罗这样成千上万的客家籍劳工的最好地方吗？他们远渡重洋，帮助牙买加以及其他加勒比国家。比如，特立尼达、多巴哥、圭亚那、巴拿马、苏里南以及古巴等，建立了商业体系，推动了这些国家的经济发展。

不仅在罗瑞合村，而且在中国的历史书上，客家人的历史都有详细的记载。但是很少被提及的是，为什么在北美、中美和南美有成千上万的非裔加勒比华人。我们大多数人并不了解我们的外祖父，因为我们从来没有回到中国，当他们与当地女性养育子女时，也从不会谈及家乡。对很多人来说，家族的历史是从一个新的国家开始的。

我想把这张床送回到外祖父的老家，建一个和牙买加房子一样的复制品。我想把我们的故事和家族的故事告诉来访罗瑞合村的中国人。这个世界上种族融合的过程不只是对内的，也可能是对外的。

汤尼带我们来到一座墓地，墓地前面的草坪就是吉尔伯特长大的地方。这不像通常的墓地，而是社区的一部分，死亡与生命如此接近。

这五座墓碑，尽管既年代久远又被人忽略，但却和社区融合在一起。有些墓碑已经年久失修，但其中一座墓碑上的名字依然清晰可辨，写着玛丽安娜·罗，亡于1923年。这会不会是我外祖父的另一个孩子

塞缪尔的商铺

第二天我们继续旅程，前往圣·安斯贝。在市中心的黄金地段，外祖父曾经拥有他这辈子最大的店铺。整条街熙熙攘攘，车来车往，有众多中国商店和不少生意兴隆的店铺。据说外祖父曾经的店铺不久前还是家布料店，但就在我们到这里的前几天，店主刚腾空了房子。

我们走进了塞缪尔曾经生活和做生意的这家店铺。我惊诧于它的占地面积之大：它不是那种年久失修的"中国"小商店，就像我们曾经看到在山坡上或者在乡下小镇的那种商店；它是一家很大的货栈。墙是绿色的，但有水渍，房顶漆成了白色。屋顶有一个生锈的一动不动的电风扇，窗子面向广场。我在这个地方慢慢踱步，似乎可以感受到外祖父的存在，这是一种我从来没有过的体验。我可以想象他招呼客人、收拾货架、清查货物、开灯、微笑地看着妻子、想着自己孩子的样子，他一定是带着骄傲和自豪看着这个让人印象深刻的地方。

平生第一次，我似乎感受到塞缪尔·罗和我走在同样的楼板上，看着同样的窗户，把手放在同样的墙壁上。我看着窗外，他一定也曾站在同样的地方，看着同样的广场。我开始啜泣，这是如释重负的泪水，也是充满悲伤的泪水。当我站在窗边看着外面时，我的表哥罗金生——正是他向中国亲人的询问开启了我的寻根旅程——轻轻搂着我。那一刻我感到些许安慰和力量。

我们从商店的营业区域走进生活区域。一个生锈氧化的水池、小房间、电插座、窗户闩、明亮的浅绿色墙壁。所有的东西都陈旧破烂、疏于打理，似乎还可以感觉到生活在这儿的人家的存在。我擦干了眼泪，忽然有了一种喜悦的感觉，一种属于圣诞节早晨的喜悦。我看着哥哥们，问："你们想得到这里这么大吗？是不是很让人惊奇？比我期望的还要好。"这就是他曾经住的地方，如同凝固的庞贝古城，永恒地保存了日常生活的瞬间。我惊讶于这座房子的面积，它的力量和它的持久性，它的黄金位置。我满怀骄傲。

这就是我当时将近十六岁的母亲来寻找父亲时，叔父们所经营的商店。内尔来的时候，一定满怀希望，离开的时候则心碎和失望。

我来的时候带着些微的希望，但走的时候却满怀对未来的期望。对已经去世的母亲而言，这是一种抚慰，对我则是一生的安慰。

我在外祖父圣·安斯贝的故居内，似乎可以感受他的骄傲与自豪

寻找罗定朝

从哈莱姆、牙买加到中国

在外祖父曾经的商铺探访

在牙买加探访外祖父的故居

霍华德、我在牙买加和罗其芳在牙买加首都金斯敦中华会馆

12 月的中国团聚

从中国回来一周后，我收到中国表亲陈嘉鑫发来的邮件："12 月 23 日是阿黛莎姨妈九十四岁的生日，我们罗家将有个大聚会，全家人将回到广州。我父亲觉得这可能是个很好的机会，把你们介绍给罗氏大家庭，你们会看到更多的家庭成员……不知道你们是不是可以先来深圳或者广州？不过我建议你们可以先飞香港，再到深圳。我们可以一起去罗瑞合村，然后你们在深圳游玩一到两天。接下来我们可以一起去广州，给祖父上坟。"

我有三个月时间计划这次包括二十个家庭成员的旅程，他们生于不同年代，处于不同年龄段，从两岁到六十五岁以上都有。他们居住在从牙买加到洛杉矶的范围，每个人都有疯狂的想法、各自的项目和要求。他们可能以为我会担忧这一切，但事实上我根本不在乎。我只有一个目标，就是把这个大家庭聚在一起，庆祝阿黛莎姨妈九十四岁的生日。这件事的重要性对家里所有人来说都胜过一切。这个清晰的目标会让看起来像噩梦一样的事情变得容易。接下来就是买机票、订酒店和让家人做好准备。

哥哥艾瑞克和我年轻时有个约定，那就是——我的职责是照顾家人，他的职责就是挣钱。当然我们彼此互相交叉承担了一些，我有不错的生活，而他也经常给家庭成员很好的建议。但是基本上，家人比较听我的，因为艾瑞克，我们则有资金支持，让这一切迅速而容易地实现。

2012 年 12 月 20 日，我们 22 个家庭成员聚集于艾瑞克在芝加哥的

2012年在美国准备出发到中国寻亲的情况

美国亲友飞往中国的途中

美国亲友飞往中国的途中

寻找罗定朝 从哈莱姆、牙买加到中国

美国亲友飞往中国的途中

美国亲友飞往中国的途中

美国亲友下飞机到达深圳后上了巴士情况

公寓里。12 月的芝加哥，你可以想象当时的天气是什么样的。通常我们的家庭聚会是 8 月安排在玛莎的葡萄庄园里，有泳衣和泳池边的鸡尾酒。而现在走廊里堆满了羽绒服、靴子、帽子和手套，我们准备搭乘早班飞机去上海。飞机当地时间星期五下午 3 点着陆，我们在机场等到约 6 点，然后乘飞机前往深圳。当邂逅的威廉姆斯一大家人到达华丽的瑞吉酒店时，已经半夜了。

酒店有一百层高，辉煌的大堂位于九十六层。我本来希望这么晚早舞舅舅不要等我们，但是一走出电梯，就看到了他。那个时候，我很感激舅舅的沉静和礼节，同时也很感激他引导我们进入家庭的核心圈子，让我们跨越了拘束，感到了温暖；跨越了礼节，感到了关怀。我们到达酒店的前五分钟感受了这种细微的差别。

等着我哥办理入住手续时，家人跟着我，站在大堂的不同位置，而早舞舅舅和舅妈则安静地坐在另一边。我走向他们，舅舅站起来拥抱我。舅妈，我们以前从未见过，也热情地拥抱我。尽管我们之间没有翻译，我问舅舅知不知道这是家族里的其他家人。我指着聚集在这里的黑皮肤的其他人——我的女儿和她的表亲以及他们的宝贝，正在努力适应时差，我的丈夫罗斯福和我的一个哥哥站在一起。早舞舅舅摇了摇头，疑惑地看着我。

我明白，如果在午夜的深圳瑞吉酒店看到这些黑皮肤的人——这些人可能是凑巧和我同一时间抵达——舅舅并不会想到那是他的亲戚们。我把早舞舅舅和舅妈带到其他人面前，开始做正式的介绍，"这是早舞舅舅和舅妈"。拘谨的感觉消失了，我们之间变得温暖了，接下来就是拥抱、彼此之间的凝视，一个家庭的联结就此开始了。

寻找罗定朝

从哈莱姆、牛买加到中国

罗斯福找到了属于他的中国大家庭

　　我的丈夫罗斯福，很宽容，但是他不太容易接纳新事物。我们离开之前，他十分明确地告诉我，他之所以和我的中国家人一起度假，只是因为他爱我。对那些有关中国、姨妈和舅舅的故事，他感到有意思，也只是因为那些故事与我有关，而我一直在全力寻找亲人。他一向很喜欢看到我努力工作，为一个个项目激动兴奋的样子。我退休后，我们一起合作了一些项目，比如拥有和经营美国职业女篮洛杉矶火花队。但是这次行程——它的距离、它的时间和机缘——对他来说毫无意义。而且，他的生日就在 12 月 24 日，这意味着他不得不在中国庆生。这可不符合他的计划。

　　罗斯福，出生在新奥尔良，来自于和我完全不同的家庭背景，不仅仅是他的家庭更加传统和完整，而且他家族的人口也少得多。我们结婚的时候，住在纽约，当我说起某个人时，举个例子，我会说这个人是犹太人。罗斯福就会问我为什么，我怎么判断的。我说，你看，你可以从他的名字判断出来。他就很困惑。当他还是个孩子时，新奥尔良主要有三种人，意大利人、白人和黑人。"等一下，"我会说，"难道意大利人不是白人么？"罗斯福就会摇摇头，笑着说，"对我们来说，他们不是"。他的成长过程中几乎没有拉美人或者亚洲人，对不同肤色或是不同国籍的白种人也没什么辨别能力。

　　显然，这些年来，他的圈子扩大了，也适应了多元性。我们一起去了非洲。他陪着我一起看了北京奥运会。当我们在北京的时候，街上的人看到这个高个子、身材健硕的黑人，以为他是一个运动员。他经常被拦下来，要签名，问他关于运动的看法，更多时候是合影留念。但是现在，五年后，这是一次完全不同的行程，没有奥运会的吸引，唯一算得上吸引的就是美食和购物了。

"我去只是因为我爱你。"他说，一边很不情愿地收拾着行李。

"我知道，亲爱的。"我说，"我真的真的很感谢。"

我有种感觉，觉得他会找到自己喜欢的，但是这不是我需要在意的事。这次行程有太多人需要我担心了：我哥哥一家、孩子们、孙子辈们、女儿和外孙、吉尔伯特的两个女儿——我说服她们从布鲁克林赶过来。这还不包括我的一大家子中国亲戚，我听说，他们为我们的到来也全都动员起来了。

本质上，这一切都在我。我是让这一行程成行的人；我是那个触发了整个系统而应该让一切归位的人。如果有什么挫折、问题或者任何意外发生，责任都会在我。我想不会发生这些事情的。我一点也不担心罗斯福对此次行程表达的不情愿。我最大的愿望就是能够看到阿黛莎姨妈，看到她和整个大家族一起庆祝生日。

而且她做到了。

到深圳的第二天，我们搭乘一辆大巴前往罗瑞合村。8月份，我和舅舅就去过一次，这一次，则是和整个罗家四代人一起。当我走进村子，我惊呆了。整个家族的亲戚都突然出现了，有一百五十人之多。其中一个亲戚在当地比较有影响力，可以联系帮我们这么多人安排必要的食宿。一点也不感到奇怪的是，当这么多罗氏后人聚集在村子里时，鹤湖新居客家民俗博物馆暂时停止对外开放了。

当我们这么多人走到博物馆虚拟书前，指着我们的姓氏，向我们的

亲友参加上香仪式

祖先上香，母亲在家谱上的缺失就更加令人遗憾。吉尔伯特的两个女儿洛兰和安德烈娅与我们有同样的感受。她们的父亲也没有出现在家谱上，因此她们有同样的痛楚。但无论如何，吉尔伯特家庭的代表在这里了，第一次，塞缪尔相距遥远的家人重聚了。

这一次的行程中，我不仅是一个参与者，也是一个旁观者。我在 8 月份和早舞舅舅的罗瑞合村之旅，已经让我了解这个村子的一些奇妙之处。这一次我得以专注地虔诚地关注别人的体验：哥哥艾瑞克，用摄像机拍个不停；哥哥霍华德，从一个女儿到另一个女儿，从一个孙子辈到另外一个孙子辈，向他们问好。

我看着伊玛尼抱起了六岁的伊德里斯，举着他的手在虚拟书上挥着，翻着一页又一页，好奇地看着那些汉字，它们代表着曾经对我们的生活有所贡献的那些人。伊玛尼用温柔的声音和伊德里斯交流着，尽管他还没倒过时差来，但他已经完全被吸引住了，在妈妈的怀抱里，看着大屏幕上表演的"魔术"。他的长发半掩着脸庞，时不时地，他会带着疑问抬起头来。

我又一次为眼前的景象感叹，为身边的几代人，为生命延续的神奇，为我们家族非同寻常的历史。我的思绪漫游到了另外一个时空，一个不被政治、历史、国家的悲剧和家族纠缠的历史所影响的时空，想象着如果我带着伊玛尼在伊德里斯这个年纪回到中国会是什么样子——如果我带着她回到罗瑞合村，指给她看这先祖墙，而母亲站在一旁，看着我们两个，会是什么样子？

我的思绪继续回到过去，想象着如果是母亲带着哥哥和我在伊德里斯的年纪回到中国，回到罗瑞合村，指给我们看这先祖墙，而外祖父塞缪尔·罗站在一旁，看着我们，会是怎样的景象？我想象着如果是母亲在塞缪尔的怀抱里，他抱着大女儿，指给她看这位于家乡的先祖墙，又会是怎样的景象？当我看着先祖墙，我似乎看到了这一切，尽管我不认识这些名字。我似乎看到了如果我们像伊德里斯这样早早了解这些，长大后，将会用另一种方式熟知我们的家族历史，而不是这么晚才了解。我也好奇，如果我们早早知道了这些，我们会有怎样的不同，我们看世界的方式又会有怎样的不同。

我的思绪又转到不远的将来，我想象着伊德里斯带着他的孩子。我想象着我年轻漂亮的女儿伊玛尼，如果此时此刻不是精神病医生，而是成了外祖母，站在我站的这个位置，或许会记起这一刻，记起她的儿子看着这本神奇电子书的样子。

罗斯福走了过来，站在我身边。或许他看出来我陷入了沉思。我们不习惯在公众面前秀恩爱，但此时我轻轻地靠在他身上，沉浸在这不可思议的时刻。

我和早舞舅舅一起站在祭坛上，向祖先的画像和牌位鞠躬上香。这是我所熟悉的流程，我很了解这些步骤。但是接下来所见的就不同寻常了。我们走进了室外一块很大的空地，这是我第一次到访时没有来过的地方。院子中央支起了十张桌子，是为中午的宴席准备的。我们彼此还都陌生，所以有些羞涩。但是我不会让这种羞涩影响整个下午的气氛。这次行程的目的不是为了让美国人彼此坐在一起，中国人彼此坐在一起。我要想办法让大家融入彼此。

当然，我也得解决语言问题。在一百五十位同族中，人约十位是可以双语沟通的，所以每张桌子都要有一个会双语的亲戚。他们坐定后，我就招呼大家走动起来，劝大家分散到每张桌子，请表亲们坐在一起，或者坐在姨妈舅舅身边。宴席开始了。我们坐下来，开始享用丰盛的美食，但是很少交谈。我听到有些桌子传来轻声的交谈，接下来就是令人尴尬的沉默。我瞟了罗斯福一眼，他正专注地吃着盘子里的面。

我不清楚是谁在负责这里，但是一下子每张桌子上都放上了小酒杯，倒满了茅台酒。茅台酒被称作中国国酒，事实上，它度数很高——大约有五十三度——用高粱酿制而成的烈性酒。20世纪50年代，茅台酒是中华人民共和国的官方用酒，在国宴上招待来访贵宾时，都会饮用茅台酒，也会当作礼物赠送给嘉宾。我们的牙买加亲戚是喝着牙买加著名的乌里叔侄品牌朗姆酒长大的，对烈性酒自然不陌生，了解这种酒在调节情绪和活跃气氛方面的作用。

亲人们喝过茅台酒后的改变让我印象深刻。我知道，接下来，大家的嗓门就拔高了。院子里回荡着笑声、交谈声。当中国亲人看到我们喜欢这种氛围，我们似乎通过了一个重要的考验：我们是一个家庭，我们被接受了。午宴变成了一场盛大的、欢乐的聚会，只是缺少一个活跃气氛的带头人。

人们站起来，从一张桌子走到另一张桌子。你是谁？我是谁的兄弟／表亲／舅舅叔叔／姑妈姨妈／姐姐妹妹。大家都抛开了翻译，用世界通行的肢体语言互相交流，互相指着，点头说是或者不是。欢声笑语代替了沉默无声。在一张桌子前，我看到了罗斯福和我的一个表弟敏章在一起，他是已经去世的早英舅舅的儿子。他们搂着彼此的肩，正互相用茅台酒敬酒。

这正是罗斯福需要的。我看着他走到每张桌子前，从同龄人到老一辈，一个个挨个敬酒。也就是说，到午宴结束，他碰了一百四十九次杯子。汉语中没有"cousin"这个词（表亲——译者注），我们教大家说"cousin"这个词，它变成了我们家的祝酒词。不管是什么亲戚关系，只要大家一碰杯，就会以各种腔调说出"cousin"这个词。有人说"CuhZIN"，也有人说"COHsyn"。午宴中，我能听到罗斯福不停地和他碰到的每一位亲戚碰杯。

罗斯福的笑声很大，我能听到从院子各个方位传来他的笑声。当他和阿黛莎姨妈碰杯的时候，姨妈笑得开心而甜美，看起来像一个年轻人。她喜爱他。我享受这一切。经过几轮敬酒之后，我走到麦克风前。

我一生中做过很多次演讲，这一次也许不是口才最好的。我环顾整个院子——看着不同肤色的亲人们，看着孩子们——婴儿、年青人和少年，看着中年人和我的舅舅姨妈们，看着几代人因为一位一百年前勇敢地从中国前往牙买加的男人而聚在一起。现在，一百五十位亲人聚集在这里，还有更多的亲人想要一起来为阿黛莎姨妈庆祝生日。罗瑞合村的院墙此刻以新的方式复活了。

我站起来，要求家族中的年轻一辈都和我站在一起。塞缪尔孙辈中最年轻的一位上来致辞。然后我要求大家指出家族中年纪最大的一位亲人。其他的亲人都坐在下面，笑容满面。我向所有人敬酒，然后我们彼此敬酒。我看着罗斯福，他冲我举起手中的杯子。我知道我骄傲的黑人丈夫也已经找到了他的中国大家庭。

先人安眠所在

第二天一早，我们所有人搭乘两辆大巴，前往广州，拜祭外祖父和他的妻子以及他的大儿子早英。对我来说，其中最重要的就是去外祖父的墓地。我们的先祖——18世纪在罗瑞合村开基立业的先祖也安葬在广东省，但不是我们此行的墓地。他的遗骨曾被埋葬在罗瑞合村子附近，但是被盗墓者盗挖，流落四方。这些遗骨如此珍贵，于是他的家人付重金找回部分遗骨。这样的事情一再发生，他的后人决定将其遗骨迁移到尽量远的地方，使盗墓者无法找到。

墓碑占据了很大一块区域，由精心雕刻的大理石组成；墓碑上镶嵌了先人的照片，并刻有金色的汉字。我们主要祭拜了外祖父，只有一个上了年纪的亲戚和我们一起——就是老一辈里最小的安妮塔姨妈，大部分时间她住在澳大利亚。老年人和婴儿一般不会去墓地，因为人们认为逝者的能量和生者的能量有着强烈的冲突，最好不要交织在一起。

我也坚决认为小孩子是不应该出现在葬礼上的。当我的女儿伊玛尼九个月大的时候，她的祖父去世了，孩儿爹告诉我和女儿都应该参加葬礼。我告诉他我不会这样做的。"我希望你的家人理解，"我说，"我不会带她去参加葬礼的。"

他回答道，"但是你必须去"，很惊讶于我的回答。

我说，"我不会去的。婴儿不应该出现在葬礼上。我永远不会这样做。这和是不是你的父亲没有关系，你的父亲已经去世了。我不会带孩子到

寻找罗定朝
从哈莱姆、牙买加到中国

悲伤和死亡弥漫的地方去。"

我不知道他是否真的理解了。但是在中国，别人告诉我，中国人不会带婴儿到葬礼上或者墓地去，也不会让老人去这些地方，因为他们也终将老去。我明白了我这种情感的来源。

我们慢慢穿过大理石墓地，到达外祖父安息的地方。我点起香，肃穆、庄严，带着崇敬的心情，沉浸在自己的思绪里；此时此刻，只听到火柴划着的声音。我和家人们站在一起，眼前烟雾缭绕。我们向外祖父和他妻子鞠躬进香，也顺便祭拜了早英舅舅和早舞舅舅的大儿子敏凯。

我们顺着台阶，缓缓穿过小径，回到大巴，一路上我被某种前所未有的悲伤所笼罩，甚至母亲2006年去世或者父亲在三个月前去世时都不曾有过这样的感受。我被一种沉重的、无边蔓延的失落感击中了，忍不住开始抽泣起来（而且，或许可以说，我这是一反常态的）。我想这种感情可以说是一种宣泄，因为这次旅程所引起的长期压抑感和焦虑感终于被释放出来了，或者只是疲惫和时差的缘故，也或者是在我内心的某种难以用言语表达的情感被击中了。

不知是什么原因，我甚至无法行走。我站在台阶上，靠着墙，双手掩面，开始哭泣。表妹安德烈娅——吉尔伯特在布鲁克林的女儿——抱紧了我。我们几个月前才认识彼此，她像亲妹妹一样安慰着我。她轻轻对我说了些话，尽管我已经记不起来是什么内容了，她拥抱着我，直到我平静下来。

我觉得在墓地的经历耗尽了我的精力。我曾经想着和外祖父对话，也尽我所能试图倾听他。但是对于最后实现这个梦想是什么样子却没有丝毫准备。来到外祖父的墓地，是在身体上最接近他的体验。这也是母亲自从三岁以后最接近外祖父的一次，似乎我身体内的她此时此刻也被激活了，而且非常强烈。

我深呼吸后，擦干眼泪，擤了擤鼻子，感激地拥抱了安德烈娅。我

2012年拜祭外祖父

们慢慢回到大巴，安德烈娅聊起了她的父亲吉尔伯特，我聊起了我的母亲内尔。

"我的父亲总是很悲伤。"安德烈娅说。她至今常常面对成长过程中父母因压抑所造成的那种痛苦和不确定感。

"是的！"我说，"如果说有一个词形容我的母亲，我会说是强悍——上帝，她很强悍——但是也很悲伤。"

内尔和吉尔伯特所经历的这种沉重的悲伤感，给她们的生活和整个人生都留下了阴影。对于安德烈娅和我来说，父母忧郁的性格非常明显。他们有着同样的父亲，有着同样的 DNA；如今我知道，他们还有着同样被遗弃的经历。

我被母亲的那种压抑感所围绕，"你不知道在成长中没有父亲意味着什么"。吉尔伯特的忧郁和内尔一样。他们都要面对一个现实，就是父亲抛下了他们。塞缪尔·罗希望他的孩子跟着他，但是最终，他们被抛下了。

内尔的母亲在带着她离开塞缪尔后却再次抛弃了她，尽管塞缪尔并非有意抛下她。吉尔伯特则被留在了摩可，是的，和他母亲埃玛·艾莉森在一起，但是他知道他还有兄弟姐妹，还有一位母亲。他们都回到了中国，离开了他。

我开始换一种角度思考这个问题——从非洲奴隶的美洲后裔角度去思考。当我的非洲祖先被迫离开自己的家人、土地和文化时，那是一种怎样沉重的悲伤和绝望笼罩着他们？

手铐、侮辱、殴打、强奸和谋杀。欧洲人告诉他们，他们不是人类，他们没有灵魂，他们只有虚假的神灵。在几乎一代人那里，当我的母亲和舅舅被分离被抛弃时，他们的身心就被伤害了，他们因此一辈子生活在沮丧中。

被绑走的非洲人是否有被抛弃，不被救赎的感觉？作为非洲人的后裔，我们身上有着怎样的烙印？我们得以幸存了下来。有些隐藏了伤疤，有些仍然可辨认，但是野蛮的奴隶制烙印在我们身上至少已经三百年了。我想起美国黑人作家玛雅·安哲罗博士对生存的咏叹："我仍旧会站起来。"

吉尔伯特和内尔被迫与他们的"根"切断了联系，这不可能不对他们的一生造成可怕的影响。即使长大成人有了自己的家庭，他们仍然会感到不完整。我的母亲一直有这样的感受；从安德烈娅的话中，我意识到，吉尔伯特也是如此。在墓地的一瞬间改变了一切。于我而言，最终，完整了。

阿黛莎姨妈九十四岁了

　　我们去墓地的同一天，为阿黛莎姨妈举行了盛大的寿宴。与前一天的聚会相比，这一天来的人更多。孩子们互相拥抱。早舞舅舅的儿子罗敏军将他制作的巨大家谱挂了出来，家族成员纷纷指着家人们的名字和位置。饭店挂着粉色的气球和彩带，还有供我们签名的大型卡片。当然，还有茅台酒不断斟上，活跃谈话氛围。阿黛莎姨妈非常开心地坐在那里，戴着她小巧的毛线帽子，接受我们送上的爱的祝福和敬意。

　　经过几番敬酒，敏军站起来，提请来宾们注意。他的独生女——二十五岁的罗思其——站在他身边，为他翻译。我以为他会说一些有关阿黛莎姨妈的事情，但是我错了。他指出"这可能是罗家这一百年来最团圆的聚会"，掌声响起，"感谢葆拉提供的这些文件和信息，没有它们，就没有这次聚会"。

　　当掌声响起来时，我感到有些尴尬，赶快站起来，向大家鞠躬。敏军解释说在罗瑞合村的家谱虽然让人印象深刻，但是却有很多缺漏，因为在"文化大革命"期间——红卫兵宣传"破四旧"——所以罗氏就不再填充家谱。"我们很后悔有些东西遗失了，"他一边说，一边抱歉地看着我，"我是罗定朝的孙子，我对祖父有责任，我要担负起这个责任完成家谱，按照正确的顺序制作它。"

　　内尔和她的孩子，还有孙辈都会出现在墙上的家谱中。

　　吉尔伯特和他的孩子，还有孙辈也会出现在墙上的家谱中。

广州，2012年12月。姨妈阿黛莎·罗——塞缪尔·罗的二女儿——拥有一半牙买加黑人血统，一半华人血统。她的肤色和母亲的肤色一样。母亲是塞缪尔·罗的大女儿，与阿黛莎姨妈是同父异母的姐妹

（艾瑞克·威廉姆斯 摄）

广州，2012年12月。姨妈芭芭拉·罗（罗碧珍），在塞缪尔·罗八个孩子中排行第七

（艾瑞克·威廉姆斯 摄）

早舞舅舅

2012年12月，阿黛莎姨妈迎来了她的九十四岁寿宴，全家亲人团聚，纷纷合影留念

2012年罗氏后代大聚会

2012年罗氏后代大聚会，人家纷纷在家谱前寻找自己的名字

我们的家族将会从此团聚，断掉的联系也会被重新连接。

我们在深圳的最后一晚，再次举行了盛大的家庭聚会。服务员戴着圣诞老人帽子，中国亲人们身着我们送给他们的洛杉矶火花队的队服。"罗定朝的血脉永存。"哥哥霍华德站在一家人的前面，和他的 11 个家庭成员一起——他的女儿和孩子们。哥哥艾瑞克和他的儿子陈（这一代唯一以威廉姆斯命名的男孩）站在一起。我和伊玛尼、丈夫罗斯福（刚好是他的生日），还有外孙伊德里斯站在一起。接下来就是拍照时间，所有的姨妈、舅舅、祖父母们，还有孩子们聚集在镜头前。

早舞舅舅叮嘱我，请我们一定要再回来。他说"请把家人们从牙买加都带回来"。他说以前并没有把我的母亲列入七个兄弟姐妹中。"如今，加上她，我们有了八个兄弟姐妹！"舅舅在房间里宣布，"现在，加上葆拉的家庭成员，我们有三百二十位亲戚。我们感到很骄傲。没有家庭可以和我们相比。"

罗氏家族的格言是："创造财富，和睦家庭，崇文重教。"

此刻，在这个特别的晚上，家庭，成为一切。

家谱的回归

作为职业经理人，作为度假观光客，我曾无数次到过中国。但是最近，来中国给了我一种令人安心的归家的感觉。不仅仅是我知道要去哪里，或者说是一种对中国文化的渴望，而且有了归属感。我不再仅仅是一个去中国购物或者尝试新鲜美食的游客，而是在中国有家的人。我的根在中国。

自从我们第一次相逢后，舅舅和舅妈的身体更加虚弱了。我第一次到中国的时候，早舞舅舅灵巧地使用筷子，夹起鸡、豆角、白菜，微笑地看着我，然后放到我的盘子里。这不只是一种客套。在中国长幼尊卑非常重要，如果长辈为晚辈夹菜，对晚辈来说意味着一种极大的荣幸、深深的爱、一种敬意和尊重。可想而知，2012 年，早舞舅舅，在他八十多岁的高龄，为一个他从没有见过的姐姐的六十岁的女儿夹菜，意味着怎样深沉的爱。

接下来，12 月和次年 8 月，早舞舅舅健康出了问题- ——他的肾脏不好，不得不住院几周。很难想象，当我们共同经历过这一切后，残酷的命运会带他离开这个世界。侄女思其会经常报告他的健康消息，我也会把在美国、加拿大和牙买加的黑人华裔牙买加罗氏的近况告诉她，请她转告大家。

当然，早舞舅舅不会这样离开我们，他依然神采奕奕、精神矍铄。2013 年 8 月，我又一次回到中国，坐在早舞舅舅身边，这一次轮到我来为他夹菜，表达我的爱与敬意。"您要汤吗，舅舅？"我用英语问他。他会点点头，用喉咙发声，他知道我理解他的意思。"要不要来些牛肉，舅舅？""不，不要牛肉"，他会表明。"米饭呢？"是的，米饭一直都要的。当然，还要来些法国红酒。

没人干扰，没人打断。早舞舅舅很开心。我也很平静。在内心深处，我似乎在和外祖父，和母亲对话。如果他们也活着，我会这样为他们服务，轻轻地把菜夹到他们的盘子里。我听着罗氏家人粤语、英语、客家话交杂在一起——和市场上嘈杂的声音完全不同的动听旋律。所有这些语言都是一种安抚，使我归于平静。我看着舅舅，他也注视着我。无须语言，我们了解彼此。即使没有一句共同语言，我们似乎本能地了解彼此想要说什么。

我看着饭桌，似乎透过它看到它所见证的历史。我们一起分享了寻找家族的这段历程。表弟陈唯一——碧珍姨妈的大儿子和我的朋友玛西娅愉快地交谈着。他出生在中国，有一天他问外祖母何瑞英，为什么罗家人没有住在海外。他说，我们都受过教育，为什么没有人被派遣到海外工作呢？

他说，"我的外祖母用很轻的声音对我说，'你不知道你妈妈是出生在牙买加吗？'"他惊呆了。他的外祖母把他带到卧室，开始在她的床下翻箱倒柜。她搜出来一个用布绑着的盒子。几乎是没有任何声息的，她小心翼翼地打开盒子，拿出里面的东西。我想起我的母亲和她床下的盒子。母亲床下的盒子里也放满了宝贝，似乎是我们这个家族中，已婚妇女进入新的家族开始新生活的时间节点。

唯一看着外祖母取出了六本护照，分别是阿黛莎姨妈、早英舅舅、早舞舅舅、早刚舅舅、碧珍和碧霞两位姨妈的。护照封面是牙买加皇家蓝，当唯一打开这些护照，几乎看到了全新的护照，尽管这些护照的签证时间为 1927 到 1933 年间。

"我简直不敢相信,"他说,"罗家没有人提到曾经在牙买加生活过。"当然外祖父的儿女们知道他曾经去过牙买加,但是,外祖父教给他们的少数几个英语单词就是他们知道的全部了。"文化大革命"期间,只要在国外待过,都会成为被怀疑的对象。因此,与此有关的文件、记录和家谱都被烧掉了,以销毁和资本主义、资产阶级价值观有关的东西。

今天的中国,按辈分起名字的传统也失去了。比如我这一辈的罗家人,男性一般都是敏字辈。我这一代所有的女性家族成员,都有自己的家族姓氏,罗(英文可拼写为 Lowe、Luo、Law 或者 Lo)。人名中的第二个字则为笑(Siu),意为快乐或者欢笑的意思。然后才是自己的名。我的名字就是罗笑娜。

今天,父母一般不再给孩子按辈分起名字。历史学家发现如今很难回溯一个家族的历史,出于自我保护的原因,"文化大革命"期间,大部分家庭都把家谱或宗谱销毁了。这不仅对历史是一种摧毁,对未来同样如此。过去,当一代人有同样的辈分名字时,就可以确定其家庭成员的生活年代。这一传统还会体现在家族的诗歌中。我们家族的诗歌就几乎包含了四十代人的名字,以一种易于记忆的押韵形式呈现。接下来,辈分名会在下一轮四十代人中出现。然后是下一代,再下一代……同样的,外祖父会教我的母亲说客家话,父母也会教孩子们家族的诗歌——一代又一代,千百年流传。

汉语名字

　　我想有一个汉语名字。第一次和中国亲人相聚后，当我与早舞舅舅和阿黛莎姨妈在精神上有了连接后，我想要一种洗礼。我需要一些东西证明我已经融入了另一种文化，并且成为其中的一部分。我不再是一个到访中国的游客；我认可和确认了我灵魂中的中国部分，它需要一个出口来释放。

　　外祖父去牙买加的时候，他的名字是罗定朝。但是因为那个时候，还没有拼音或者威氏拼音法，还没有标准可以表示汉语名字。于是，他就成了塞缪尔·罗。我发现自己强烈希望进入汉字的世界，希望理解每个汉字所代表的声音和意义。我还想拥有一个属于自己的汉语名字，可以把我和外祖父，以及我的罗氏家人联结在一起的汉语名字。

　　回到美国后，在我六十岁生日的前两天，也就是龙年，我请表亲陈嘉鑫——他的英语很棒——请早舞舅舅给我起一个汉语名字。我感到了一种我从未有过的紧张和脆弱。我担心这请求有点过分，愿望没有办法满足。

　　第二天，我接到了他的电邮。他代表早舞舅舅写道：

　　葆拉，我祖父给你和你的哥哥起了汉语名字。看看你们是否喜欢。

　　正如我提到，你的名字会以笑开始，你的哥哥们会以敏字开始，代表罗家的第三代人。

你的汉语名字是罗笑娜，"娜"和你的英文名字葆拉的最后一个音相似，意为美丽。

而你的哥哥们，艾瑞克为罗敏志，霍华德为罗敏坚。志和坚在汉语中代表你们和罗家相认的强烈愿望。你觉得怎么样？

我看着我的名字：罗笑娜。在脑海中反复想着这三个字，并把这三个字音大声念出来。舅舅说，"娜"代表着美丽。他给我起了一个汉语名字。眼泪在眼眶里打转，我试着回信给他，表达我这种强烈的情绪。

"我感动得哭了，嘉鑫。请代我们谢谢早舞舅舅。"我写道，"我们现在要学着写自己的汉语名字。12月见！"

我也想让我母亲有一个汉语名字。这有点复杂，因为我知道中国人是不会死后取名的。我担心舅舅会觉得这个要求是对传统的冒犯，或者更甚之，是一种侮辱。

是的，舅舅有些犹豫，但他最终认为这个情况比较特殊，传统不一定非得遵守。这一次，侄女思其写来了电邮。

早舞最后确定了"罗碧珊"这个名字。拼音是 Luo Bishan，粤语发音是 law bik saan.

碧是辈分名，比如阿黛莎姨妈是碧玉，芭芭拉是碧珍，安妮塔是碧霞。代表一种按近浅蓝的绿色，也是玉的意思。

珊代表珊瑚，让人想起美丽岛国牙买加。而且和 Sam 的发音接近，我们知道，在西方，大儿子会继承父亲的名字，所以他希望内尔也能有塞缪尔的名字。

另外，羅碧珊是繁体字写法，看起来更美一些，我认为塞缪尔的名字也是繁体字写法：羅定朝。简体字是 1956 年开始使用的，是在罗定朝出生以后。事实上，其差别就是罗这个姓氏的写法不同。这只是我的建议。

母亲的名字已经没法更美了。珊瑚，在牙买加怀着期盼的女儿，听起来像 Sam 的发音——在汉语书写上同样很美。舅舅肯定想过了各种名字和画面，最终确定了这个能使人联想起大海和海岛的名字。没有比这个名字更适合母亲的了。

我记起了我们在玛莎家的葡萄园，把母亲的骨灰撒进大海的那一天。母亲 2006 年在伊利诺伊州埃文斯顿的一家养老院里去世，享年 86 岁。那时候她仍旧美丽，但是意识已经没有了。当时我在洛杉矶，霍华德在佛罗里达，而艾瑞克定居在芝加哥。埃文斯顿位于芝加哥的郊区，艾瑞克和他的两个女儿——林莱和利娅以及她们的家庭——在一起。我们都认为妈妈应该在那里，和一大家人生活一起。

内尔很有灵性，能够感到与宇宙相连。她常常认为世界上看不到的东西和看到的一样多，她会谈到舅舅和其他亲戚以及鬼魂回来。他们会留下一些曾经来过的证据，比如移动了相片、变成了动物，或者出现在梦境中。

她的孙女经常会半真半假地开玩笑对她说，如果她去世了，要给大家一些提示，告知她安全地到达了另外一个世界。"你们希望是什么样的提示？"她会问，"我应该以怎样的形象出现？"霍华德的一个女儿建议她回来的时候变成一个兔女郎。母亲同意了，她和孙女们在一起的时候，比和我们在一起的时候，要温暖和甜蜜得多。

母亲去世的那年 4 月，两个哥哥都在埃文斯顿，每天熬夜守护和期待成为家庭生活的一部分。有一天，洛丽步行去养老院看望内尔。那是个美好的春天的早晨，尽管春寒料峭，但是个晴天——是芝加哥那种冬日结束，温暖的春天即将到来的清晨。洛丽走过一条灌木丛生的小径，

寻找罗定朝
从哈莱姆、牙买加到中国

内尔晚年时

一只白兔在她面前跳了过去。她停下来，深吸了一口气，记起了她和祖母的对话。兔子是春天宁静祥和之美的一部分，也是一个信号。洛丽颤抖着乘电梯上了五楼，走进内尔那间在转角的充满阳光的房间。

内尔在几分钟前去世了。

我知道是巧合。我知道到处都有兔子（毕竟它们以旺盛的生命力著称）。我知道理智的头脑是不会把兔子和母亲联系在一起的。但是我的想法在这一点上一点儿也不理智。这只兔子一定是她给的信号。我知道我对母亲中国家族的找寻不仅仅是财富和努力的结果。当然运气和努力同样重要，但是运气从另一方面讲也是一种应验。内尔在某种程度上讲陪伴着我一起寻找她的父亲，为我指示了方向。

她去世后，我们决定等到夏天，把她的骨灰撒入大海。我们计划从玛莎家的葡萄庄园——一个母亲不知道但会喜欢的地方——把它撒到太平洋。

8月一个美好的日子，她的孩子和孙子辈都聚在了一起。我们穿着泳衣，带着骨灰罐去了海边。全部大约有二十位家人，从一岁的孩子到哥哥艾瑞克，他如今是家中最年长的一位。我前一天已经告诉年轻的家庭成员们，让他们找一些能让他们想起内尔的小东西。他们带来了美丽的贝壳、花、药草，甚至一些文字。我们一起准备和内尔做最后的道别。

我打开罐子，捧着她的骨灰靠近大海，然后慢慢地将骨灰撒进了大海的波浪中。当她的骨灰撒进大海，海水不断把骨灰冲回岸边，而不是大海深处。很快年轻人们跳进海里，搅动骨灰，使其被冲进大海深处。

他们手拉着手，组成S形状，拦截大海的浪潮。

"回到牙买加，奶奶。"孩子们喊道，"你自由了，外婆，你可以回家了。"

我站在沙滩上，对母亲说再见。

但是，真的就再见了么？真的从此就再也不见了么？

寻找罗定朝
从哈莱姆、牙买加到中国

梦到外祖父

我一直梦到外祖父，梦到母亲，梦到倘若他们知道彼此的消息，他们的生活又会怎样。还会梦到，母亲三岁那年，要是外祖父没有从此杳无音讯，我的生活又会怎样。

但是，我的梦现在不同了。

现在我可以想起外祖父的面孔，我可以讲述他在牙买加之后的生活。我认识了他的儿女、孙子、外孙子；看到了他的房子；走进了他的店铺；也祭拜了他的坟墓。

现在，当我再大声说起外祖父这个词时，它不再空空荡荡，形单影只，我身体的某一部分也不再感到悲伤了。当我说外祖父这个词时，不再像我在努力说一个新词，而无法说正确。现在我可以向别的叫他外祖父的人说起这个词。我把他当作一个句子的主语，当作一个动词的直接名词。他已经完全地融入我的生命中，他和我的家族已经成为我日常所见的世界的一部分，正如我和哥哥成为家族的一部分一样。

我成长中的那种氛围，那种有些事情似乎总感觉不太对劲儿的氛围，现在终于变得正常了。我们生活中的那种彻头彻尾的矛盾——世界上最重要的，就是家庭，但是我们的家庭又特别弱小和脆弱——消失了。取而代之的，是一种关于世界上最重要的就是家庭的确信感，而且是永久的。无论我们的家族分离了多长时间，无论是被环境、大洋、大陆还是时间、灾难，抑或种族分离过，它的重要性都会持久地存在。家族之间的联结跨越了一切障碍。

回望我所经历的这一不平凡的历程，我意识到正如达到我所预期的最终目的一样，发现我中国家族的过程同样重要，这一历程对我而言还有精神启迪的意义。正确的人出现在了正确的时间，我的表亲 JJ 坚持让我参加客家研讨大会，江明月和罗金生给我指明了方向；霍华德用客家话数数的富有启示性的时刻，和艾瑞克记起外祖父离开牙买加年份的神奇时刻；我自己痛苦而又美妙的追溯——到过他的店铺、他的墓地；我的孤独；所有这些最终带来了那个平静的时刻，我与阿黛莎姨妈握手；也带来了那个喜悦时刻，早舞舅舅朝我这边看来，眼神里满是骄傲，满是爱意。

孩提时，我就曾试着对外祖父说话，尽管我对他并不了解。我会自言自语地问他，"你在哪里？你为什么离开？"现在，我对着外祖父说话，是对着一个我能抓得住他的本质，能感知他的苦难，能拥抱他的后人，能被其遗泽佑护。我对他说，"谢谢你"。或者"你能看到这一切吗？"或者"我们都平静了"。

我曾对自己许诺我要找到他——消失的拼图会重新拼好，被打断的故事会继续，破碎的生命会得到修补。

是的，我做到了。

是的，拼好了，继续了，修补了。

这个世界，如我所知，神圣之地，奇迹之地。

一刻，我膝盖都软了。跟许多非裔美国人一样，我有一种终于到家了的感觉。这片大陆既有历史，又有神话，既有自由，也有专制，既有纯洁，也有污染，一切我百感交集：这个世界的位置。几年之后，我去了加纳，感觉完全不同。事后才知道，许多牙买加移民其实是今天加纳的阿散蒂人（加纳的民族之一，阿肯人的分支。讲阿散蒂语。信多神教，部分信基督教新教，主要从事农业——译者注）。阿散蒂的民族，加纳的民族之一，阿肯人的分支，这并未让我感觉到与祖先血脉相连，我仅仅与跟我外貌相似的人有血缘关系而已。而我相信这会看着几个街区以外的秀水街。从北京大街上的小瑞吉酒店……

相关文献

圣·安斯贝的塞缪尔·罗兄弟商店破产

所列物品将在下午4点之前被签字认领

周五，1931年11月10日

第一，存货。包括葡萄酒、烈酒、五金器具、陶器、食品杂货、专利药品、香水、文具、桌子、板凳、冰柜、磅秤、小型展示柜、费尔班克斯秤等。盘存总计413英镑，位于圣·安斯贝主街的商店。

第二，柜台展示柜、打字机、铁柜、桌椅，盘存总计78英镑，位于圣·安斯贝主街的商店。

第三，电力装置。盘存总计30英镑。

第四，家具和居家用品。位于商店的楼上，圣·安斯贝主街。盘存总计49英镑。

存货的盘存工作或由金斯敦公共大楼破产受托人办公室督办，每日受理时间为早晨9点到下午4点。

存货等出售时并无追索权，无论价格、数量、质量、情况、描述，或者其他；即使存在价格、累加、计算或者其他方面的人工失误，不补差价。

存货的督办费用由买家支付，由签字认领者或圣·安斯贝法院书记员安排。

破产公告发布日期为1931年11月16日。

J. M.内瑟索尔

破产受托人

《拾穗人日报》1931年11月18日

圣·安斯贝大火后续报道

损失预计 18150 英镑

其中极少有保险

涉嫌犯罪

尸碱中毒

据称由于食用了偷取的罐头

本报记者报道

主街上的这部分地区，当地人称之为"Guinep Tree"，今天，这里呈现出一片令人唏嘘的景象。主街北面四条路，不久之前还满布价格不菲的商品，商铺林立，住家干净整洁。如今，放眼望去，只剩烧焦的遗迹。现场的大量残骸，似在无声地讲述，就是那场灾难性大火，让镇子的这些地区几乎成了废墟。本镇上一次遭遇大火，还是6年前的一个周六早晨，但是，与本次大火相比，差之千里。火灾导致损失据粗略估算，如下：

路易斯·莫里斯先生的住宅、家用物品、附属建筑和商店，4000英镑（住宅投保金额低于200英镑）。斯科特莫里斯名下的商店，由金·李和W. H. 斯科特经营，500英镑（投保金额为400英镑）。W. H. Scot先生的存货价值1600英镑，投保金额为900英镑。塞缪尔·罗兄弟商店及住宅，1150英镑（没有投保）。上述存货，价值5000英镑，投保金额为2000英镑。海女士的住宅价值800英镑，投保金额为400英镑。金·李的存货价值为1100英镑，没有投保。M. H. 坦南特先生的现货价值为……投保金额为1500英镑。

斯科特先生和坦南特先生的住宅均在北方火灾保险公司投了保。

其他损失：

除了上述损失，为了阻止火势蔓延，只能把J. J.莱昂先生的冰店移除。J. E.麦克莱恩太太损失了150英镑，只因她的店离火灾现场太近，也曾尽力转移存货，但是，一些货品最终落在了强盗手里。

一位华裔店主，人称"Sam叔"，他经营的店离麦克莱恩太太的店很近，没有着火，却也损失惨重。他一打开店门，就看到抢劫者们正在偷东西，他们让他安心，他们只是来把他店里的货物转移到警察局。店里存货价值200英镑，但是，最终只有价值10英镑的货物被送到了警察局。

显而易见，本镇历史上，纵火是最让人不齿的事件，此次灾难令人遗憾，真心希望警方不久之后就可以把涉案人员逮捕归案。

此次事件使我们得出一个惨痛的教训，麦克莱恩太太和其他正在发展的镇子都需要一支装备齐全、组织得当的救火队，以及足够的水源供应。如果满足了上述要求，那么，这里讲述的故事结果肯定会截然不同。

为数不少的人对本镇感兴趣，今天，他们骑着摩托车来看火灾现场。

本镇的F. J.亨德森先生发现，有个人躺在广场上，疼得不停地扭动身体，就把他送到了医院，目前尚未脱离生命危险。经医生诊断，那人是尸碱中毒。据称，那人本来身体健康，却误食了取自火灾事发地的罐头。大批男女、孩子无所事事，跑到火灾事发地，翻找没有被大火完全烧尽的物品。

《拾穗人日报》1928年12月26日

偷面包贼被捕

通讯员报道　克莱蒙特，1月31日——今天发生了一件最胆大妄为的抢劫案。如果不是威尔弗雷德·海因兹先生聪明，窃贼很可能已经逃跑了。圣·安斯贝的塞缪尔·罗兄弟商店的面包车正行驶在橙园和斯蒂尔福德街区之间时，抛锚了，司机赫伯特·哈维锁好车，将车丢到路边，然后去圣·安斯贝找零件回来修车。车上载有价值5英镑的面包。他离开后，住在橙园的威尔弗雷德·海因兹先生恰好经过，看到两个小男孩斯蒂芬·哈里森和埃德蒙·琼斯在面包车旁边，于是问他们发生了什么。两个男孩说，面包车车胎爆了，他们在帮司机照看面包车。威尔弗雷德·海因兹先生有些怀疑，于是走到远处躲起来，观察究竟发生了什么。然后他发现那两个男孩打开了面包车门，他就继续观察。两个男孩从面包车里取出一大堆面包，然后朝威尔弗雷德·海因兹先生的方向走过来。于是威尔弗雷德·海因兹先生拦住了他们。哈里森正准备跑走，琼斯叫住哈里森，随之拿出一把剃刀威胁威尔弗雷德·海因兹先生，但是海因兹没有被吓到，随后报警。两个男孩都被警察逮捕，被拘留在克莱蒙特，警察正忙于收集证词。

《拾穗人日报》1931年2月5日

人名对照表

A

Adassa Lowe 阿黛莎·罗，汉语名罗碧玉

Alexander Bustamante 亚历山大·巴斯塔曼特

Alice 艾丽斯

Albertha Beryl Campbell 艾伯塔·贝丽尔·坎贝尔

Amy Vanderbilt 艾米·范德比尔特

Andrea 安德烈娅，汉语名罗笑丹

Ande 安德尔，汉语名罗嘉传

Annie Marie 安妮·玛丽

Anita Maria 安妮塔·玛丽亚，汉语名罗碧霞

Anthony Harrison 安东尼·哈里森

Anthony 安东尼，汉语名罗敏德

Alexander Bustamante 亚历山大·巴斯塔曼特

Aston Samuel 阿斯顿·塞缪尔

B

Barnes 巴恩斯

Barbara Hyacinth 芭芭拉·海厄森斯，汉语名罗碧珍

Barbara Lowe Eckel 芭芭拉·罗·埃克尔

Berryl Hoilday 贝里·霍利迪

Bob Marley 鲍勃·马利

C

Carmen Velez 卡门·薇勒兹

Carol Wong 卡罗·王，汉语名魏蘭芬

Catherine Lloyd 凯瑟琳·劳埃德

Calvert 卡尔弗特

Captain Cipriani 西普里亚尼上尉

Cefus Lloyd 锡福斯·劳埃德

Charlie Meade 查利·米德

Charlie Rangel 查利·兰热尔

Conrad Sweetland 康拉德·斯威特兰

Connie Sweetland 康尼·斯威特兰

D

Daniel James 丹尼尔·詹姆斯

Diana Ross 戴安娜·罗斯

Dada 戴达

David Walters 戴维·沃尔特斯

Donald 唐纳德，汉语名罗敏行

Doug Lyons 道格·莱昂斯

Dr. Maya Angelou 玛雅·安哲罗博士

E

Eily Chin Lowe 艾莉·陈·罗

Emma Allison 埃玛·艾莉森

Elisabeth Kubler-Ross 伊丽莎白·库布勒-罗斯

Elrick 艾瑞克，汉语名罗敏志
Elrick Mortimer Lloyd 艾瑞克·莫蒂默·劳埃德

F
Fannie Lloyd 范妮·劳埃德
Floyd 弗洛伊德
Free-Zee 弗里兹
Frisky 弗里斯基

G
Gary 加里，汉语名陈嘉鑫
Gilbert Lowe 吉尔伯特·罗，汉语名罗早泉
Glenford 格伦福特，汉语名罗敏诚

H
Hazel Bennett 黑兹尔·贝内特
Hillary Clinton 希拉里·克林顿
Howard 霍华德，汉语名罗敏坚
Horatio Anthony Harrison 霍雷肖·安东尼·哈里森
Horatio Nelson 霍雷肖·纳尔逊
Hugh Holness 休·霍尔尼斯

I
Icilda(Icy) Lloyd 艾斯达（艾斯）·劳埃德
Imani 伊玛尼

Idris 伊德里斯

Iris 艾丽斯

J

Jack Williams 杰克·威廉姆斯

James Henry Mortimer Williams 詹姆斯·亨利·莫蒂默·威廉姆斯

Jeanette Kong 珍妮特·孔, 汉语名江明月

John Flavell 约翰·弗拉维尔

John Hall 约翰·霍尔

John Harris 约翰·哈里斯

John Lindsay 约翰·林赛

Johnson Lowe 约翰逊·罗, 祖父的弟弟罗仕朝, 文中称叔公

Julie Jackson 朱丽叶·杰克逊

Juliet Harrison 朱丽叶·哈里森

K

Keith Lowe 罗金生

Keturah 克图拉

Keturah Brown 克图拉·布朗

L

LaFleur Paysour 拉弗勒·佩索尔

LaVerne Jones 拉弗内·琼斯

Leslie Lowe 莱斯利·罗

Leah 利娅

Lotte 洛特

Lionel 莱昂内尔

Lin Que 林杰

Lorain Lowe 洛兰·罗，汉语名罗笑莲

Lori 洛丽

Lunnie 伦妮

Lynai 林莱

M

Melvin 梅尔文

Madeleine Albright 马德琳·奥尔布赖特

Malcolm X 马尔科姆 X

Marcia Haynes 马西亚·海恩斯

Marcus Garvey 马库斯·加维

Marianne Lowe 玛丽安娜·罗

Marianne Szegedy-Maszak 玛丽安娜·萨戈迪-玛扎克

Marques Harrison 马克斯·哈里森

Mary Ann Justina Ripoll 玛丽·安·贾斯蒂娜·里珀尔

Mary Peter Claver 玛丽·彼得·克拉弗

Martha 玛莎

Mavis Holness 梅维丝·霍尔尼斯

Maxime 马克西姆

Moncrief Powell 蒙克里夫·鲍威尔

Mr. Kings Lee 金斯·李

Mr. Moris 莫里斯

Mr. Wood 伍德先生

Mr. W. H. Scott　W. H.斯科特先生

Mrs. Hay 海女士

Myrtle Hyacinth Nethersole　默特尔·海厄森斯·内瑟索尔

N

Nell Vera Lowe Williams 内尔·薇拉·罗·威廉姆斯,汉语名罗碧珊

Norman 诺曼

P

Paul Brendan 保罗·布兰登

Pat 帕特

Patrick Lee 帕特里克·李

Paul 保罗

Paula Williams Madison 葆拉·威廉姆斯·麦迪逊,汉语名罗笑娜

Peter Lloyd 彼得·劳埃德

Philip Lowe 菲利普·罗,汉语名罗献朝

Philip Sherlock 菲利普·舍洛克

Portia Simpson-Miller 波希亚·辛普森-米勒

Q

Quida Harrison　奎达·哈里森

R

Raymond Lodenquai 雷蒙德·洛登凯

Rose Holness 罗丝·霍尔尼斯

S
Samuel Lowe 塞缪尔·罗，汉语名罗定朝
Sarah Lloyd 萨拉·劳埃德
Swee Yin 瑞英，即何瑞英
Sherry Bellamy 谢里·贝拉米
Stokely Carmichael 斯托克利·卡迈克尔
Stanley 斯坦利，汉语名罗子扬

T
Tracy Sherrod 特蕾西·谢罗德

W
Winnie 温
Winston Lowe 温斯顿·罗
William Mary 威廉·玛丽

Y
Yiu Hung Law 罗耀红

地名对照表

Saint Andrews 圣·安德鲁

Edgecombe 埃斯科姆

Van Cortlandt Park 冯科特兰公园

Johnsontown, 7 Saint John's Road 约翰逊镇圣约翰路7号

Clarendon 克拉伦登

Caymanas 开曼纳斯种植园

Mocho 摩可小镇

Appalachia 阿巴拉契亚

Hayes 海斯区

Saint Ann's Bay 圣·安斯贝城

Browns Town 布朗斯城

Moneague 莫尼格小城

Westmoreland 威斯特摩兰教区

Lenox 雷诺克斯

St. Elizabeth 圣·伊丽莎白教区

Princess 公主街

Barry 巴里街

Orange 橙街

Tower 塔楼街

Harbour 港湾街

Beckford 贝克福德街

Pechon 必昌街

Spanish Town 圣·凯瑟琳教区的西班牙城

Ocho Rios 圣·安斯贝教区的奥乔里奥斯

Mandeville 曼切斯特教区的曼德维尔

Montego Bay 圣·詹姆斯教区的蒙特哥湾

Port Antonio 波特兰教区的安东尼奥港

Port Maria 圣·玛丽教区的玛丽亚港

Savanna-La-Mar 威斯特摩兰教区的滨海萨瓦纳

Black River 圣·伊丽莎白教区的黑川

Falmouth 特里洛尼教区的法尔茅斯

寻找罗定朝

从哈莱姆、牙买加到中国

其　他

Epsom　埃普索姆号

Vampire　吸血鬼号

Theresa Jane　特雷莎·简号

Anyo Maru　安雅玛鲁号

SIXAOLA　锡克绍拉号

TYNDAREUS　廷达瑞俄斯号

ADRASTUS　安达拉特斯号

Jamaica Retailers Association　牙买加零沽商会

Samuel Lowe and Bros.　塞缪尔·罗兄弟商店

The Daily Gleaner　《拾穗人日报》

Justice of the Peace　"地保官"，又称"太平绅士"

后
记

一个故事的结束可以是很多故事的开始。

我可能会继续对塞缪尔·罗的寻找，因为尽管它在某种形式上结束了，但新的讲述还在不断出现，还在指引新的方向，而塞缪尔·罗总是伴随左右。我可以写一个有关我找到他，他出现在我们的生命中，是如何改变了我的家族的故事。这样的改变是一个新的故事。我可以聚焦在我和哥哥的谈话是如何转变的；我从他们那里学到了新的东西，他们也从我这里学到了新的东西。在旅行的过程中，我们也形成了新的关系，我们三个威廉姆斯家族的人开始重新思考我们的历史，因为我们的历史取决于母亲的故事，而她的故事不再是曾经的样子。

当然故事的梗概是一样的。那个拿着菜刀抵住弗里兹父亲的女性依然如是。那个嫁给我父亲，又刺伤他的女性也永远是我的母亲。那个本能地充满激情地保护我们的女性也依然如是。但是现在我们可以想象那个看着窗外的女性在寻找什么了。我们可以听到她用客家话数数，那样的举动不再是一个不可捉摸的母亲的不同寻常的举动，而是从外祖父那里从小习得的传统——他们是一个拥有三千年历史的家族的成员。我们可以很容易地想象她不再孤独，而是有着兄弟姐妹——尽管他们对她来说，不可知，也无法触及。

我也可以写有关我女儿伊玛尼和她这一代孩子的故事，写他们如何融入这个变化的世界。他们还是我们去中国之前的他们：受过良好的教育、游历广泛、年轻，有着自己的孩子。但是如今他们知道生命有了不同的目的和意义，知道互联网意味着一些不同的意义，对他们来说变得更加个人化，甚至是有自传的意义。他们知道他们的边界——有关他们是谁的概念——已经深深地发生了变化。

我也可以写写我的中国家族。我的客家朋友江明月认为得益于我们出现时中国家族的表现，我们很幸运。她可以想象一种截然不同的反应——看到一些黑人亲戚出现在他们生活中，他们可能会惊愕，甚至生气，因为我们打扰了他们平静、简单、富足的生活；或者只是冷漠和众说纷纭，希望我们快点消失。他们可能会有很多种反应，但是罗家对待我们的方式，开启了我们新的未来。

创造财富，和睦家庭，崇文重教。

我们都是企业家，我们坚信当我和两个哥哥离世后，家族将在这个世界上依然长存。这些年我们不断同塞缪尔·罗的子孙们开会讨论家族生意。它根植于我们的血脉中。我们创建了罗氏企业，囊括塞缪尔在五大洲的子孙们。我们坚信将继续外祖父的愿景，创造更多的财富和价值。

还有吉尔伯特·罗的家族成员，我母亲同父异母的弟弟。他的三个女儿多年就住在离我们不远的地方——我们彼此都没有想到会有这样的事情。因为吉尔伯特家庭的出现，他的姐姐阿黛莎成为我们启示的一个来源；我们的到来对她而言，唤醒了她未曾分享的记忆。

她记起了她还是个小女孩的时候，她曾经和父亲一起去拜访母亲，埃玛·艾莉森。他们似乎设计了一种几乎现代的共同监护的方式，即便是在塞缪尔和何瑞英结婚后。阿黛莎记得她叫瑞英夫人，而她的牙买加母亲则一直是她的妈妈。阿黛莎姨妈记得另外一个男孩，她的哥哥阿斯顿·塞缪尔，他在六岁的时候就夭折了。我们曾以为他是埃玛的儿子，是在塞缪尔进入埃玛生活之前有的孩子，我们以为他的姓是艾莉森。但是阿黛莎姨妈九十多年来一直知道真相：阿斯顿·塞缪尔的姓就是罗，他是外祖父的第一个孩子。证据就是他中间的名字是塞缪尔。阿斯顿·塞缪尔葬在埃玛家前院的草地里，和他的母亲在一起。

发现外祖父的这另外的孩子对我们家族意味着什么呢？或许并没有什么。

有什么关系么？或许并没有。生活仍在继续。内尔和吉尔伯特留在了牙买加。阿黛莎和父亲，还有其他家庭成员回到了中国。如果第一个儿子早逝了，这个事实，这个秘密，会影响未来吗？

当然不。当然是——因为阿黛莎姨妈的回忆，我们对他的发现，是在我们发现这么多家族历史之后。这个发现只是一个提醒，使我们意识到家族历史的丰富以及神秘莫测。

终其一生，你我所知，即为真相之一种。并非根本意义上的真相——有罪或无罪，新闻调查般的，被抓了现行的人有没有做坏事——而是存在意义上的真相。这种存在意义上的真相对我们影响重大，直到情况稍有变化，拼图又有了新的一块，一块石头被掀开，一封来自陌生人的电子邮件里写着："塞缪尔·罗是我的先父。"

然后，整个世界改变了，尽管我们熟悉的那些里程碑事件依然未变。两个哥哥和我将继续努力经营我们的事业，如今有了更多的中国亲戚成

寻找罗定朝
从吟莱姆、牙买加到中国

为我们的合作伙伴。我的外孙还将继续和我的丈夫罗斯福、他的外祖父玩。我的女儿伊玛尼将继续给病人看病；艾瑞克的儿子陈将继续成为唯一一个用威廉姆斯做姓的男性家庭成员；霍华德的女儿将继续努力工作，照顾家人。我们继续哀悼父亲和母亲。最终我们还将哀悼其他长者，那些我们有幸认识和敬爱的长者。

致谢

　　没有来自父亲家族的巨大帮助，寻找母亲家族的成功就完全没有可能。父亲的同胞和亲戚提供了最初有用的线索：我的姨妈"美人"卡门·薇勒兹联系了我们在多伦多的亲戚JJ约翰·霍尔，他帮我们联系了多伦多的客家—牙买加团体。同时，在牙买加的姨妈奎达·哈里森通过电邮帮我联系了艾莉·陈·罗，她给我介绍了她在多伦多的表亲雷蒙德·洛登凯。

　　通过JJ的联系，我遇到了江明月，她不仅成了纪录片《寻找罗定朝》的导演兼制作人，也成为我亲密如姐妹一样的客家牙买加朋友。2012年6月，我们在第四届多伦多客家研讨会上相遇。研讨会由罗金生博士和魏蘭芬主持，他们两个人对我和我的寻亲历程都非常重要。

　　在客家研讨会上，碰到很多非常乐于帮忙的客家人，他们都承诺会努力帮我揭开谜团。我碰到了金生的姐姐，芭芭拉·罗·埃克尔，她住在亚特兰大。她给了我她从中国最大的客家文化博物馆带回来的宣传手册。她曾经参观过那个博物馆，那里也是她先祖生活的村落。罗瑞合村，而这也是我外祖父出生的地方。

　　江明月研究了牙买加和美国的大量文件和记录，每天通过网络、电邮和电话收集有关罗氏家族几十年前的文件。正是江明月有关牙买加的中国店主的纪录片《华人商铺》，启发我寻求她的帮助，帮我寻找到了我的家族，随后我请她担任纪录片《寻找罗定朝》的制片人和导演。对

寻找罗定朝
从哈莱姆、牙买加到中国

她的付出和友谊，我怀着深深的感谢。

在江明月的劝说下，金生询问了他在中国的亲戚，在 24 小时内，我找到了外祖父的后代。我永远爱金生，无论怎么感谢他和他美丽的妻子埃莫都不嫌多。

我在 NBC 环球和 GE 的同事，与我犹如姐妹的时尚的玛西娅·海恩斯在 2012 年 8 月和我一起去了中国，第一次见到了罗家的成员。金生的侄子罗耀红，帮忙安排了这次会面。因为我美丽而亲爱的朋友，因为她的相机，我有了第一次会面的照片。感谢耀红将金生的电邮发给了舅舅早舞。正是这一封电邮改变了我的生活。

还要特别提到我年轻的侄女罗思其，她聪明、富有耐心，对家庭团聚的付出无可比拟。思其是罗氏家族西方和东方的联络人。我要解释一下我们的姓。我们的姓在汉语中就是罗。

在西文字母表里，这个字被写成了很多种：Lowe、Luo、Law 和 Lau，但是都是罗。塞缪尔·罗在牙买加出生的孩子都将姓拼写为 Lowe，而他在中国的孩子则拼写为 Luo。

我还要特别感谢思其的祖父，舅舅罗早舞以及思其的父亲罗敏军；还有亲爱的姨妈阿黛莎，我们都会怀念你（阿黛莎姨妈 2015 年在本书英文版出版时去世）。敏军更新了我们的家谱。在与我们相聚后，他修订了外祖父的生平，将外祖父在国外的两个孩子也纳入了家谱。

我还要感谢我美丽的、最棒的朋友玛丽安娜·萨戈迪·玛扎克，她和我在二十年前一起加入了公共廉政中心董事会，如今成为此书的睿智的指导者。玛丽安娜是获奖记者，2013年出版了令人难忘的有关她自己家族的回忆录，《我无数次亲吻你的手：在匈牙利的心、灵魂和战争》。在我创作的过程中，玛丽安娜的帮助无法估量。她的思想、她的指导和策划以及写作，帮我构思，甚至坦率地说，统筹了整部书稿《寻找罗定朝》。

感谢哈珀柯林斯出版社的资深编辑特蕾西·谢罗德，她像姐妹一样，指导我完成了我的处女作，帮助我克服了很多艰难的挑战。感谢我的朋友，美国国家黑人记者协会的道格·莱昂斯，是他把特蕾西介绍给我。

还要感谢我挚爱的富有耐心的丈夫罗斯福：感谢上帝和先祖，让他出现在我的生命中，成为我的灵魂伴侣。从他和我外孙伊德里斯·莫拉莱斯的互动中，我受到了启发，毫无疑问也是我们彼此的爱让我得以执着地寻找外祖父。感谢我的女儿伊玛尼·杰汉·沃克博士，让我想起自己那个苛求的完美主义者母亲。我爱她，无法想象没有她，我的生活会是怎样。我把我的爱和生命都献给他们。

感谢吉尔伯特·罗一脉的亲人们，感谢你们的爱护、友谊和支持。我们第一次去牙买加寻找外祖父时，汤尼就和我们在一起。洛兰和安德烈娅在2012年12月和我们一起去参加了中国的家族大聚会。

还有我的侄子侄女，以及更小一辈的孩子，我的女儿和外孙，也感谢你们，感谢你们给我灵感。莱奈、利娅、伊玛尼、陈、伊玛拉、亚历克西斯、伊什梅尔、卡莱恩、伊德里斯、西拉、安德烈和我一起去了中国，见到了罗氏家人。你们也是塞缪尔·罗——可敬的罗定朝的后人。你们将继承伟大的遗产，继续了不起的价值观。你们的外祖母是令人敬畏的女性，她希望你们让她和你们的家族感到骄傲，对得起罗氏的名字。

此外，还有很多我要感谢的人。他们在很多时候启发、帮助我最终完成了书稿《寻找罗定朝：从哈莱姆、牙买加到中国》。

感谢以下个人和机构：

Elrick Williams Sr.

Nell Vera Lowe Williams

Roosevelt Madison Sr.

Florence Madison

Elrick Williams

Chan Williams

Howard Williams

Alexis Rodriguez

Lynai Williams Jones

Carlton Jones

Imara Jones

Ishmael Jones

Carlyn Jones

Sierra Jones

Leah Williams Haskett

Andre Haskett

Andre Haskett Jr.

Phil Johnson

Anthony (Harry) Harrison

Paul Harrison

Maxime Harrison

Enid Anderson

Glaise Anderson

Ian Anderson

Harold (Charlie) Meade

Norman Davis

Beverley Davis

Gilbert Lowe

Loraine Elaine Lowe

Anthony Lloyd Lowe

Nesta Lowe

Andel Emile Lowe

Annie Marie Lowe

Glenford St. Joseph Lowe

Donald Barrington Lowe

Shalane Allysia Lowe

Audrey Colleen Lowe

Sascha Lee McDermott

Russell Andre McDermott

Judy Ann Lowe

Emile Andrew Lyn

Carol Shawn Lowe

Ruth Mary Lowe

Phillip Douglas Richards

Samantha Hillary May Richards

Andrea Lowe

Ellen Richards Lennon
Michelle Lawson

G. Raymond Chang
The Toronto Hakka Conference

Stanley Law
Peggy Lowe Young
Arthur G. Lowe
Winston Lowe
Granville Lowe

Patrick Lee
Loraine Lee
Stephen Young–Chin
Tsung Tsin Ontario
Dalton Yap
Vincent Chang
Marcia Harford
Robert Hew
Ray Chen
The Chinese Benevolent Association of Jamaica

Diane Houslin

Lauren Tobin

Debra Langford

Laarni Dacanay

Maria Huerta

Deborah Elam

Art Harper

 Linda Richardson Harper

Lloyd Trotter

Teri Trotter

Janine Uzzell

Alex Canfor–Dumas

The GE African American Forum

John Doychich

Tonya Thomas

Alesia Magee

Williams Group Holdings LLC

Karl Rodney

Fay Rodney

The NY Carib News

Warrington Hudlin

The Black Filmmaker Foundation

寻找罗定朝

从哈莱姆、牙买加到中国

Lee Gaither

Fred Paccone

Martin Proctor

The Africa Channel

LaFleur Paysour

Pat Jordan

Jack Jordan

 Donna Knight

Sherry Bellamy

Sherry Sherrell

Yolanda Sabio

Maritza Myers

Mitzi Wilson

Charmaine Jefferson

Barbara Walters

Kiese Laymon

The African American Alumnae/i of Vassar College

The Cardinal Spellman High School Foundation

Delta Sigma Theta Sorority, Inc.

The California African American Museum

Carlton Smith, Irie Routes Jamaica Tours

Seth George Ramocan

Basil Lee

June Ngui

Sherwin Tony Chong

Winsland Williams

Alphie Mullings Aikens

Aida Yohannes

Dorothy Kew

David Priever

Gina Paige

AfricanAncestry. com

Ancestry.com

Familysearch.org(The Church of Jesus Christ of Latter−day Saints)

The Jamaica Gleaner

The Museum of the Chinese in America

The National Association of Black Journalists

Chinese Jamaicans Facebook community

The National Archives

最后，则是罗氏家人：

Emma Allison Adassa Lowe 罗碧玉

Zhangping Liu 刘章屏

Xinyue Liu 刘新月

Guanzhan Liu 刘冠沾

Meiling Liang 梁美玲

Meifang Liu 刘梅芳

Qiwen Liu 刘绮文

Jianwen Zhou 周健文

Jiawen Xian 冼嘉文

Zixuan Zhou 周子轩

Haobo Xian 冼浩波

Qiuyue Liu 刘秋月

Guoheng He 何国衡

Huifang He 何慧芳

Tingting Ye 叶婷婷

Weile He 何伟乐

Yongjie He 何永杰

Junlin He 何俊霖

Junying He 何俊颖

Kim Yuet Lau 刘金月

Ching Hung Mok 莫澄鸿

Yeuk Nam Mok 莫若岚

LaiSze Wong 黄丽诗

Kiu Yan Mok 莫桥茵

Chi Man Lau 刘志文

Kam Heung Hsu 许锦香

Hiu Man Lau 刘晓敏

Ka Leung Lui 吕家良

Cheuk Wing Lui 吕卓颖

Yongwen Liu 刘勇文

Shaohua Li 李少华

Xiaohui Liu 刘晓辉

Xiaojun Chen 陈晓君

Swee Yin Ho 何瑞英

Chow Ying Lowe 罗早英

Xing Liang 梁兴

Xiaoyuan Luo 罗笑源

Zhigang Li 黎志刚

Jianping Li 黎健萍

Kailiang Chen 陈恺亮

Minzhang Luo 罗敏章

Huizhen Wu 吴惠珍

Zhaokang Luo 罗兆康

Chow Woo Lowe 罗早舞

Shizhen Xiao 肖仕珍

Xiaoliu Luo 罗笑柳

Xijiang Liao 康西江

Jie Liao 廖杰

Lisi Wang 王丽斯

Ziyou Liao 廖梓悠

Minkai Luo 罗敏凯

Jianmei He 何间美

Xuhui Luo 罗旭辉

Xiangqing Ma 马向青

Zhaoen Luo 罗昭恩

Minjun Luo 罗敏军

Bin Ren 任斌

Siqi Luo 罗思萁

Xiaoling Luo 罗笑玲

Xiaoquan Wen 温小泉

YuxinWen 温玉欣

Jiaxin Chen 陈嘉鑫

Chen Yat Fung, Alfred 陈逸峯

Minsheng Luo 罗敏生

Limei Tan 谭丽梅

Ruizhi Luo 罗睿智

Bingna Lin 林冰娜

Chow Kong Luo 罗早刚

Yudi Lu 卢玉娣

Xiaofang Luo 罗笑芳

Keqin Li 李可勤

Wanwei Li 李婉维

Minqing Luo 罗敏庆

Haiying Deng 邓海英

图书在版编目（CIP）数据

寻找罗定朝：从哈莱姆、牙买加到中国 /（美）葆拉·威廉姆斯·麦迪逊著；马静，岳鸿雁译. —— 深圳：深圳报业集团出版社，2016.11

ISBN 978-7-80709-759-4

Ⅰ.①寻… Ⅱ.①葆… ②马… ③岳… Ⅲ.①纪实文学–美国–现代 Ⅳ.①I712.55

中国版本图书馆CIP数据核字(2016)第256635号

图字：19-2016-210号

《我们深圳》文丛
深圳市文化创意产业发展专项资金资助项目

寻找罗定朝：从哈莱姆、牙买加到中国
Xunzhao Luo Dingchao: Cong Halaimu、Yamaijia Dao Zhongguo

［美］葆拉·威廉姆斯·麦迪逊 著　马静　岳鸿雁 译

深圳报业集团出版社出版发行
（深圳福田区商报路2号　518034）
中华商务联合印刷（广东）有限公司印制
新华书店经销

开本：889mm×1230mm 1/32
字数：230千字
版次：2016年11月第1版　2016年11月第1次印刷
印张：9.75
印数：1-4000册
ISBN 978-7-80709-759-4
定价：48.00元

深报版图书版权所有，侵权必究。
深报版图书凡是有印装质量问题，请随时向承印厂调换。

特别鸣谢

衷心感谢深圳市定朝家族贸易有限公司在致力拓展中美贸易的同时，热情关心本土文化研究，鼎力资助《寻找罗定朝：从哈莱姆、牙买加到中国》《远渡加勒比：彼岸的祖父》的出版。